La Mort décodée

Du même auteur : chez :

Coma dépassé, CLC Éditions, 2001.
Derrière la lumière, CLC Éditions, 2002.
Éternelle Jeunesse, CLC Éditions, 2004.
L'après-vie existe, CLC Éditions, 2006.
Les Preuves scientifiques d'une Vie après la vie, Éditions Exergue, 2008.
La médecine face à l'au-delà, Guy Trédaniel Éditeur, 2010.

Pour contacter l'auteur et visiter son site : www.charbonier.fr

Dr Jean-Jacques Charbonier

Anesthésiste-réanimateur

La Mort décodée

ROMAN INITIATIQUE
SUR
LES ÉTATS DE CONSCIENCE MODIFIÉS

Deuxième édition

GUY TRÉDANIEL ÉDITEUR
19, rue Saint-Séverin
75005 - Paris

www.editions-tredaniel.com
info@guytredaniel.fr

ISBN : 978-28132-0386-1

À Corinne,
l'amour de ma vie.

NOTE DE L'AUTEUR

Quoi de plus terrible pour des parents que de perdre un enfant ? Rien. Absolument rien. Brusquement, tout s'écroule. La vie devient insupportable et presque ridicule. Alors, à quoi bon continuer ?

Pourtant, malgré toute l'horreur de l'évènement, certaines rencontres peuvent redonner espoir.

En assistant pour la première fois à une séance de médium en public à l'occasion de l'une de mes conférences données sur le thème des états de mort imminente au sein d'une association d'aide aux personnes en deuil, j'avoue avoir été très impressionné, et même profondément marqué, par les extraordinaires prouesses de ces hommes et de ces femmes, véritables canaux-relais du monde de l'invisible, capables en un instant de rentrer en communication avec l'au-delà. La précision de leurs descriptions ne laisse aucun doute sur la réalité de ce contact.

À travers ce roman initiatique, j'ai voulu mettre en lumière non seulement l'hypothèse d'une conscience qui pourrait subsister éternellement après notre mort – théorie actuellement reconnue comme tangible par un certain nombre de scientifiques –, mais aussi les différents moyens utilisés aujourd'hui pour communiquer avec les disparus tels que l'écriture automatique, les visions médiumniques ou l'enregistrement des voix.

Le monde mystérieux du paranormal est peuplé de personnes humaines et sensibles, douées de formidables aptitudes qui dépassent largement les frontières de nos raisonnements pragmatiques, mais aussi, hélas, pour le plus grand poison des disciplines dont ils sont issus, de quelques imposteurs.

Au fil de cette fiction, on croisera un certain nombre de personnages. Toute ressemblance avec des individus existants ou ayant existé est absolument volontaire.

PROLOGUE

Dans cette salle obscure qui était devenue sa prison, Stéphane Burce savait bien que les différents sévices qui lui étaient infligés pouvaient survenir sous de multiples formes et à n'importe quel moment. Le jeune homme avait appris à endurer son calvaire en obéissant aux ordres, sans chercher à comprendre et sans poser de question. Pourtant, rien ne le préparait à subir un sort aussi barbare que celui qui l'attendait maintenant.

Son tortionnaire lui avait rasé le crâne. La rigidité des liens qui le retenaient au fauteuil métallique boulonné au sol par de gros rivets entamait la peau de ses chevilles et de ses poignets. Les deux pointes acérées fixées en regard de ses os temporaux rendaient impossible la moindre rotation de la tête. Elles avaient été réglées au millimètre. Un large collier de cuir relié à deux tiges en acier plantées dans le dossier imposait une douloureuse extension cervicale. Le supplicié savait par expérience qu'il était inutile de crier sa peur ou son indignation. Ici, personne ne pouvait l'entendre et le moindre mouvement de protestation n'aurait servi qu'à attiser la mauvaise humeur de son agresseur.

Lorsque le volumineux tronc d'arbre suspendu au plafond par des chaînes se mit à bouger, Stéphane devina avec stupeur ce qui allait se passer et une sueur glacée ruissela dans son dos. Tétanisé, il regarda s'éloigner l'énorme billot qui lui faisait front. Il avait lu quelque part qu'au dernier moment de leur vie certaines personnes voient défiler les évènements les plus importants de leur existence et il repensa à son père qui lui avait appris à évaluer l'âge des arbres en comptant les ronds concentriques de leur tranche de section. À l'époque, le petit garçon était loin d'imaginer que ces cercles ambrés pourraient un jour le tuer. L'imminence du carnage le fit frissonner.

La surface plane et jaunâtre recula encore dans une prise d'élan meurtrière, puis ralentit et s'immobilisa enfin après un bref crissement de ferraille et de vieilles poulies. Pas de doute possible sur la trajectoire. Tout avait été calculé pour que la colossale massue lui fracasse le visage. Son avenir était suspendu à ce sinistre mécanisme inventé par un cerveau malade.

L'engin de mort prit de la hauteur et oscilla encore un peu avant de se stabiliser à une dizaine de mètres de sa proie comme le ferait un cobra devant une souris. Devinant la suite, le jeune homme préféra fermer les yeux. Puis il n'y eut plus aucun bruit. Seulement celui de son cœur qui cognait de plus en plus fort dans sa poitrine.

Soudain, il entendit un claquement de corde rompue et perçut le souffle émis par un grand déplacement d'air. Il sentit le pilon arriver vers lui dans une accélération terrible.

En une fraction de seconde, toute l'ossature de sa face explosa dans un bruit mat.

Sous la violence de l'impact, les doigts du garçon à la tête écrasée se crispèrent un instant sur les accoudoirs de cuir, et l'ensemble de son corps humide convulsa un long moment avant de s'arc-bouter et de se raidir une dernière fois.

Satisfait, le bourreau afficha un sourire carnassier en observant son œuvre.

*   *

*

1

Quelques mois plus tôt

Roland avait le cœur léger en ce début du mois de mai. L'air tiède qui s'engouffrait par la vitre ouverte de son puissant 4 x 4 soulevait sa chevelure blonde parsemée depuis peu de quelques mèches blanches. Comme toujours à cette époque de l'année, des sentiments multiples remontaient à sa mémoire. Les petites bulles de souvenirs qui venaient crever à la surface de ses pensées lui faisaient l'effet d'un véritable bain de jouvence. Il retrouvait les saveurs du passé, les seules qui, à ses yeux, aient réellement compté : les parfums d'herbes coupées de son enfance, les flirts au soleil avec leurs cruelles morsures, les bouches coquelicot des filles, le corps nu de Martine – de dix ans son aînée – qui avait nargué les faiblesses de son adolescence dans un champ de blé par un bel après-midi d'été, le printemps 68 vécu comme une révolte primordiale et nécessaire, puis, plus tard, le jour du bac, le concours d'entrée en médecine et enfin l'examen national de spécialiste passé à Paris. En fait, sans qu'il sache vraiment pourquoi, tous les moments-clés de son existence survenaient obligatoirement entre avril et juin. Tous, absolument tous, sans exception aucune. Aussi, lorsqu'un vent chaud étirait les journées pour aiguiser ses appétits, il abandonnait sa peau d'adulte pour perdre quelques décennies et se préparait à toutes les folies. Le mélange subtil d'odeurs acidulées, d'angoisses, de peurs, de moiteurs, mais aussi de douceurs, de voluptés, de langueurs et de chaleurs bienveillantes suscitait chez lui un état d'excitation qu'il avait bien du mal à contenir. Cette métamorphose n'échappait pas à sa femme, Marlène, qui, le voyant renaître avec une énergie nouvelle, lui demandait invariablement : « Bon, ça y est, l'hibernation est finie, l'ours est enfin sorti de sa tanière ? » Car Roland était excessif. Excessif en tout. Cette particularité faisait de lui un « maniaco-dépressif saisonnier », comme l'avait un jour défini son copain de fac Michel Lombard, devenu aujourd'hui psychiatre. En effet, le docteur Roland Duquesne savait se montrer aussi engourdi et paresseux l'hiver qu'agité et entreprenant aux prémices de l'été. Il exécrait le froid, les routes bloquées par la neige, les skieurs entassés devant les remontées mécaniques et la fondue savoyarde. En revanche, dès que la chaleur du sud revenait, son humeur de vieux bougon faisait un 180 degrés et tout son visage se transformait. Il muait tel un serpent, troquant sa peau terne et pâle au profit d'un cuir bronzé de baroudeur. En un clin d'œil, il catapultait jusqu'au prochain automne sa solitude, ses lectures et sa mine déconfite pour se consacrer à de multiples projets souvent insignifiants et rarement essentiels, comme apprendre à jouer au golf, faire de l'aquarelle, tailler les haies du jardin, sourire en allant acheter du pain ou repeindre la balustrade de sa maison. Lorsqu'il s'inventait une nouvelle mission, il disait à ceux qui voulaient bien l'entendre : « En mai, fais ce qu'il te plaît ! » Puis il enchaînait aussitôt avec des proverbes saisonniers de son invention, ainsi : « Noël au balcon, Paco Rabanne » ou bien encore : « Froid en novembre, réchauffe ton membre. »

Issue d'une famille bourgeoise du 16e arrondissement, Marlène Duquesne, née de La Viguerie, préférait les finesses d'esprit de ses partenaires de bridge à l'humour carabin de son imprévisible époux. D'ailleurs, la *Parisienne* eut toutes les peines du monde à comprendre la mentalité du Midi lorsqu'elle émigra vingt ans plus tôt de son pays natal pour suivre un mari qui se disait allergique au climat du grand Nord. Selon lui, cette région hostile et froide située au-dessus de la Loire était peuplée de gens aussi tristes qu'austères. À l'époque, pour la jeune mariée, la rupture fut brutale. Car si le couple habitait maintenant une vaste demeure sur les coteaux de Toulouse, il n'en fut pas toujours ainsi. En effet, au tout début de leur vie conjugale, Marlène et Roland vécurent les aléas d'un appartement bruyant, exigu et malodorant du centre de la ville rose.

« Chez les bourges » – comme aimait à le dire le docteur Duquesne pour agacer « belle-maman » –, par tradition, les femmes ne travaillaient pas, pour avoir l'avantage de se consacrer tout entière, au bien-être de leur petite famille, et Marlène ne voulut pas déroger à la sacro-sainte règle de cette éducation. La seule ombre au tableau était l'unique fils, Alexandre, fruit de cette union, car le couple aurait souhaité avoir au moins quatre ou cinq enfants à élever. Malheureusement, une hystérectomie réalisée en urgence après un périlleux accouchement avait coupé court à tout projet expansionniste. La stérilité inattendue de Marlène avait donné à Alexandre le statut redoutable de fils unique étouffé par un amour maternel immodéré.

13 h 15. Roland avait plus d'une demi-heure de retard à son rendez-vous et les embouteillages du centre-ville transformaient certains conducteurs affamés en véritables bêtes féroces. Le tintamarre des Klaxon figurait les rugissements d'une véritable jungle citadine. À bord de son véhicule surélevé, le docteur Duquesne survolait la marée métallique. Il était au-dessus du lot et considérait cet énervement puéril avec un certain dédain. Décidément, ses contemporains étaient toujours prêts à s'inventer de fausses urgences quelles que soient les circonstances, pensait-il en soupirant. Il songeait aussi à son fiston qui devait déjà l'attendre pour déjeuner. Plus que cinq minutes et il serait près de lui. Le flot visqueux des voitures avançait au ralenti. Devant lui, une jeune conductrice vérifiait sa coiffure dans le rétroviseur. Elle avait l'air perdue et effarée.

Enfin, il aperçut l'enseigne de la brasserie. Par chance, sur sa droite, une camionnette de nettoyage actionna ses feux de stop pour quitter son stationnement en effectuant une marche arrière. Roland profita de l'occasion et négocia son créneau tout en observant la terrasse. Oui, Alex était bien là. Il reconnut immédiatement la silhouette caractéristique de son grand échalas de fils avec le sweat-shirt aux manches retroussées et la casquette de traviole recouvrant une partie de son étonnante calvitie. Des lunettes de soleil et des tennis aux lacets défaits complétaient la panoplie d'une mode que Roland ne comprenait plus. Le crâne rasé surtout. Il se demandait bien pourquoi cette nouvelle génération exhibait des têtes de fascistes ou de chimiothérapés. Ils avaient déjà eu à plusieurs reprises des discussions serrées sur le sujet, mais rien n'y faisait. Alexandre se polissait le cuir chevelu au Gillette Mac 3 en se laissant pousser une barbe patiemment taillée à deux millimètres. L'adolescent en avait décidé ainsi, et rien ni personne ne le ferait changer d'avis.

La télécommande de fermeture du 4 x 4 émit un petit jappement joyeux. Roland se faufila d'un pas pressé à travers les chaises, posa le petit boîtier sur la table et embrassa Alexandre, qui bouscula le plateau d'un serveur en se soulevant de quelques centimètres.

— Non, ça va, reste assis. Il y a longtemps que tu es là ?

— À peine dix minutes. De toute façon, même avec vingt minutes de retard, avec toi, j'serais quand même en avance, t'sais, ironisa-t-il.

— Ce n'est pas facile quand on fait mon métier…

— Ouais, quand on fait ton métier, on sait pas quand on finit et on sait tout juste quand on commence. Ça va, j'connais ! coupa sévèrement Alex en balayant sa main de haut en bas en signe de dépit.

— J'ai eu une péritonite qui s'est terminée un peu tard. J'ai mis un temps fou à réveiller le malade. Ces jeunes chirurgiens ne savent vraiment pas s'y prendre. J'avais même envie d'opérer à sa place. Mais cet après-midi, ça va, j'ai quartier libre. Je vais pouvoir récupérer.

— Tu ne bosses pas ?

— Non, et toi, à quelle heure tu reprends tes cours ?

— 15 heures.

— Ah, bien ! Ça nous laisse du temps. Tu as déjà commandé quelque chose ?

— On n'attend pas maman ?

— Non, elle ne viendra pas. Tu sais bien qu'elle a son championnat de golf et qu'elle est prise jusqu'à ce soir.

— Ah ouais, c'est vrai, j'avais oublié !

Un garçon arriva et tendit une carte à chacun. Pour l'examiner, Roland chaussa de petites lunettes de presbyte et fronça les sourcils comme pour mieux se concentrer. Il se racla la gorge plusieurs fois avant de demander :

— Dis-moi, qu'est-ce que tu penses faire ?

— Hmm… peut-être qu'un seul plat m'suffira. J'ai pas envie de prendre une entrée, répondit Alex le nez plongé dans son menu.

— Non, je ne veux pas parler de ça. Tu vas terminer ta première année de fac de lettres. Qu'est-ce que tu comptes faire après ? Tu as bien un métier en vue, non ?

— Écoute, p'pa, on en a déjà parlé plusieurs fois, j'ai pas changé d'avis, t'sais !

— Mais ce n'est pas sérieux ! De nos jours, on ne peut pas vivre en écrivant des romans de science-fiction !

— Ah non ? Va dire ça à Stephen King ou à Robin Cook. J'suis sûr qu'ils sont plus riches que toi, t'sais !

— Tu oublies les écrivains qui galèrent et qui sont dans la misère ; ce sont certainement les plus nombreux.

— Ouais, mais moi, j'ferai pas partie de ceux-là, tu vois. Tu veux toujours me rabaisser ! T'es un peu lourd, t'sais !

— Je te parle en tant que père, en tant qu'adulte. Je pense connaître la vie mieux que toi, qui n'as que dix-huit ans !

— Dix-huit ans ET DEMI ! lança Alex en déposant sur la table une fiche rose comme l'aurait fait un joueur de cartes en sortant son meilleur atout.

— C'est quoi, ça ?

— Mon permis de conduire.

— Ah ?… Félicitations, tu t'es quand même décidé à le passer ? Ta mère est au courant ?

— Ce n'est pas un permis voiture !

— Quoi ? fit Roland en examinant le document.

Ce qu'il avait sous les yeux le fit pâlir.

— Tu as passé un permis moto ?

— Ben oui, j'préfère la moto à la bagnole. La moto, c'est trop cool. Avec une moto, tu peux t'arracher grave, ça déchire. Les caisses, c'est pour les segruob.

— Les segruob ?

— Ouais, les bourges en srevnel. Le verlan c'est dépassé. On inverse plus les syllabes, on inverse les lettres !

— Ah bon ? Et l'hiver ?…

— Quoi, l'hiver ?

— Eh bien, pour te déplacer dans le froid, tu y as pensé ?

— Mais ouais, t'en fais pas, papa.

Roland, agacé, haussa le ton :

— Et comment tu comptes te la payer, cette moto ? Parce que je suppose que tu ne vas pas te contenter d'avoir simplement le permis ?

— Mon plan épargne ! En plus, Stéphane m'a trouvé un taf pour cet été. On sera ensemble dans la même boîte juillet et août. C'est un job de barman pas trop mal payé. Avec les pourliches, j'aurai assez d'thunes pour avoir une bécane neuve en septembre.

— Bon, je vois qu'en tant que parents on n'a plus grand-chose à dire. Tu nous mets devant le fait accompli, en somme. Tu sais ce que pense ta mère au sujet des motos !

— Oh, elle !… Elle a peur de tout, alors ! Je vais pas rester dans un cocon toute ma vie, t'sais !

— Tu es bien content de l'avoir, ton cocon, comme tu dis ! C'est quand même bien d'habiter chez ses parents et de mettre les pieds sous la table le soir, non ?

Lorsque le garçon revint chercher la commande, ni Roland ni Alex n'avaient encore fait leur choix.

— Pour ces messieurs, qu'est-ce que ce sera ?

— Deux steaks-frites et deux demis bien frais, répondit Roland pour éviter une attente supplémentaire. Ça te va, je suppose ?

Alex acquiesça avec une moue d'enfant gâté.

— Steak-frites-ça m'va. Bien à point-siouplé-m'sieur !

— Très bien ! Vous désirerez un dessert par la suite ?

— Non, just'deux cafés, siouplé, trancha Alex.

Assis face à face, le père et le fils s'observaient sans se voir. Les petits coups de griffe qu'ils venaient d'échanger n'étaient pas bien méchants. Simplement, Roland, en lion protecteur, voulait ramener au bon sens son turbulent fiston, tandis qu'Alexandre, comme toujours, tenait à affirmer sa personnalité devant le charisme envahissant de son père et la protection rapprochée de sa mère.

— Voilà, chaud devant ! dit le serveur en posant sur la table les deux assiettes fumantes.

Roland pensa à Stéphane, l'ami d'enfance de son fils. Même âge, même gabarit, mais des personnalités presque opposées. Stéphane s'habillait normalement, avait des cheveux d'une longueur normale et des idées normales, tandis qu'Alex, lui…

— Papa ?

— Oui ?

— On est servi, tu peux commencer. T'as l'air de planer grave. T'es tout errazib.

— Tu veux dire bizarre ?

— Bravo, t'as pigé le srevnel, remarqua Alex en souriant.

— Je me demandais simplement comment j'allais annoncer à ta mère que son fils projetait de travailler deux mois dans un bar pour pouvoir se payer une moto. Oh, et puis après tout je suis bien bête, tu n'auras qu'à lui dire toi-même !

— No problem, répondit Alex en mastiquant rageusement.

Le serveur revint à la charge.

— Et voilà les deux demis bien frais dit-il !

Roland avala une copieuse gorgée. Son goût pour la bière et les bons plats lui valait un petit embonpoint qui lui donnait un certain charme. « Le charme du petit bedon de la cinquantaine », lui disait quelquefois Marlène en lui caressant le ventre.

— Dis-moi, ton ami Stéphane, il travaille lui aussi pour se payer une moto ?

— Négatif. Lui, son kif, c'est la montagne. Il veut s'payer un trekking au Tibet.

— Ah bon, il fait de la montagne ?

— Yes. En plus il assure un max, c'est clair. En ce moment, il s'entraîne grave. Samedi prochain, il part avec un guide faire un 3 000 dans les Alpes. En plus, ce guide connaît un éditeur qui pourrait me brancher, il m'a refilé l'adresse.

— Tu l'as contacté ?

— Non, pas encore, mais j'vais l'faire.

— C'est un éditeur de science-fiction ?

— Non, mais l'guide lui a parlé de moi et il paraît qu'il veut lire c'que j'ai fait.

— Comment le guide a su que tu cherchais un éditeur ?

— C'est Stef qui lui a dit. Ils en ont parlé parce que le guide écrit lui aussi ; il fait des recueils d'itinéraires de montagne. J'sais pas très bien c'que c'est, en fait.

— Comment s'appelle la maison d'édition ?

— Les éditions Aristarques.

— Aristarques ? Connais pas !

L'avenir que Roland envisageait pour son fils n'était certainement pas celui d'un « motard-écrivain ». Comme n'importe quel parent attentif, il ne souhaitait pas que sa progéniture vive dans le danger permanent en s'exposant à la fois à l'insécurité des routes et aux aléas d'une vie d'artiste. Au fond de lui, il comprenait les décisions d'Alex – ce côté aventurier de la vie qui le rendait un peu rebelle, presque marginal – mais sa conscience de père l'empêchait d'encourager des prises de risque inconsidérées. Après s'être plongé une nouvelle fois dans un long silence pour signifier son désaccord, Roland soupira et éloigna son buste de la table. Durant tout ce temps, ses lèvres n'avaient bougé que pour engouffrer des bouchées de viande dont la taille était à la mesure de son énorme angoisse. Son assiette vide, il croisa ses deux mains sur sa nuque et offrit son visage aux rayons du soleil.

— Tu manges de plus en plus vite, p'pa, pourtant t'es pas pressé. T'as rien à glander cet aprèm, non ?

— Si, j'ai plein de choses à faire. Je viens d'avoir une idée, et je crois que c'est une excellente idée, répondit Roland Duquesne en affichant un énigmatique sourire.

2

Il était près de 19 heures lorsqu'on sonna à l'Interphone. Marlène sursauta. Elle n'attendait aucune visite. Alors qu'elle se relaxait dans son jacuzzi, sa mémoire repassait en boucle les nombreuses erreurs stratégiques de sa partie de golf. Qui pouvait bien être à sa porte ? se demanda-t-elle en enfilant son peignoir de bain. Son mari et son fils n'avaient pas à se signaler pour entrer puisqu'ils possédaient chacun une télécommande. Ses pas nerveux laissèrent des empreintes humides sur le plancher lasuré. Elle jeta un rapide coup d'œil sur l'écran de contrôle et eut bien du mal à reconnaître l'image captée par la caméra de vidéosurveillance. Bizarrement, la grille électrique coulissa automatiquement sur son rail et un motard pénétra à vive allure dans la propriété par le petit chemin gravillonné. Prise de panique, Marlène se précipita vers le téléphone pour prévenir la police. Mais avant que retentisse la tonalité d'appel, le pilote était déjà derrière la fenêtre de la cuisine. L'homme immobilisa sa machine et enleva son casque. Comme pour mieux se persuader que ce qu'elle voyait était bien réel, Marlène murmura un incrédule : « Roland ? » avant de reposer le combiné sur son socle.

Le docteur Duquesne fit irruption dans le hall. À la différence de son épouse, il paraissait être de fort bonne humeur. Marlène le regarda en penchant la tête sur le côté. Elle avait les bras croisés à hauteur de poitrine. Roland connaissait bien cette pause. C'était celle des mauvais jours. Celle qui attendait des explications avant l'annonce d'une dispute.

— Dis-moi, tu peux me dire ce que tu fais sur cette moto ? Tu m'as fait me faire un sang d'encre. J'ai cru qu'on venait nous cambrioler.

— Ta compétition s'est bien passée ? demanda Roland pour essayer de détendre un peu l'atmosphère.

— Non, très mal. Mon équipe a perdu. Alors, j'attends : d'où vient cette moto ? dit-elle en pianotant sur ses biceps pour signifier son impatience.

— Je l'ai achetée cet après-midi.

— Quoi ? Tu as acheté une moto ?

— Oui, bien sûr, je ne l'ai pas volée !

— Mais enfin tu es devenu fou ! Tu sais bien qu'Alex meurt d'envie d'en avoir une. Tu sais aussi ce que je pense des motos, nous en avons déjà discuté plusieurs fois.

— Justement, j'ai déjeuné avec lui tout à l'heure. Il m'a fait part de ses intentions d'en acheter une après avoir travaillé deux mois dans un bar. Tu sais comment il est, quand il a décidé quelque chose, rien ne l'arrête. C'est comme pour ses cheveux...

— Oui et alors ? Je ne vois toujours pas le rapport avec ton achat.

— Eh bien, c'est simple. Il vient de passer son permis et va certainement avoir une grosse moto en septembre. En tant qu'ancien motard je pense que c'est risqué quand on n'a jamais fait de moto. J'ai acheté cette petite cylindrée pour qu'il se fasse la main dessus. On en fera ensemble et je la lui prêterai le plus souvent possible. En plus, moi aussi ça me fera du bien d'être un peu avec lui.

— Tu parles d'un alibi ! Dis plutôt que tu avais envie de te faire plaisir, oui !

Roland ne releva pas l'allusion et préféra jouer sur le terrain de la séduction.

— Dépêche-toi de t'habiller. Je t'emmène faire une petite balade, tu verras, c'est très agréable.

— Et en plus tu veux que je monte sur cet engin !

— Mais oui, tu ne le regretteras pas. Il faut que je récupère le 4 x 4 avant 20 heures, je l'ai laissé chez le concessionnaire qui m'a vendu la moto.

— Mais je n'ai même pas de casque !

— J'en ai un dans le top-case.

— Tu es vraiment incroyable ! Décidément, je crois que le mois de mai te rend de plus en plus fou ! dit Marlène en montant dans sa chambre.

Madame Duquesne aimait bien les surprises mais se serait volontiers passé de celle-là. Elle ouvrit la buanderie et hurla presque :

— De quelle couleur est mon casque ?

— Vert ! Tu acceptes de venir ? demanda Roland en la rejoignant à l'étage.

— Oui, si je trouve une tenue adaptée à cette horrible couleur. Ai-je vraiment le choix ? Il faut bien aller récupérer ton 4 x 4 !

— Formidable, tu verras, tu ne le regretteras pas. La moto c'est comme le golf, quand on commence, on ne peut plus s'en passer, lui susurra-t-il à l'oreille tout en l'étreignant.

— Pfft, ne compte pas sur moi pour apprécier ce genre de véhicule !

*

Quand Alexandre pénétra dans le hall, il s'étonna de voir toute la maison plongée dans l'obscurité. À cette heure-là, il y avait toujours quelqu'un ; sa mère, son père, et même, bien souvent, des amis de dernière minute venus partager un apéritif. L'inquiétude le saisit. Son ami Stéphane, qui l'avait raccompagné en voiture, tenta de le rassurer :

— Tes parents ne vont pas tarder, ils ont dû aller faire des courses.

— À 20 h 30, ça m'étonnerait. Il y a longtemps que ma darone a fini son golf, et mon daron n'avait rien à faire cet aprèm. Tout' façon, ils sont pas ensemble, puisqu'il y a aucune des deux bagnoles, dit-il en ouvrant la porte de la cuisine qui donnait sur le garage.

Stéphane actionna un interrupteur. Le salon s'éclaira. Sur une table basse, face à la télévision, un mot griffonné à la hâte attira son attention.

— Viens voir par ici, Alex, je pense que tes parents t'ont écrit quelque chose.

Alexandre, qui inspectait les chambres, descendit en trombe et arracha des mains de son ami le précieux papier. Il lut à haute voix :

Alex,

Ton père m'étonnera toujours ; il s'est acheté une moto ! Je pars avec lui en moto pour récupérer son 4 x 4 chez le concessionnaire. Commence à faire cuire le plat que j'ai laissé au micro-onde (dix minutes, puissance 3) et mets la table. Nous serons de retour vers 20 h 30.

À tout de suite.

Bisous.

Maman.

P-S : Stef peut rester dîner avec nous.

— J'le crois pas ! Ton daron s'est acheté une moto ?

— Ouais, il est trop space, lui, par moments. J'suis sûr qu'c'est moi qui lui ai donné l'idée. À midi au Coq d'or, je lui ai dit que j'allais bientôt m'acheter une bécane.

— Au Coq d'or ?

— Oui, la brasserie à côté de la place Wilson. On a piavé ensemble avant qu'j' reprenne le taf à 15 heures.

Stéphane Burce enviait son ami Alexandre d'avoir un père aussi jeune d'esprit. Son vieux à lui – comme il l'appelait – était dénué de toute fantaisie. Maurice Burce, veuf depuis dix ans, proviseur du lycée Saint-Sernin, n'aurait jamais accepté d'avoir un fils au crâne de skinhead qui fasse de la moto. « La moto, c'est le signe ostentatoire des voyous, ce n'est pas un moyen de transport utilisé par les gens normaux », disait-il l'air méchant lorsque la question revenait sur le tapis. Il tolérait les sports de plein air, la montagne par exemple, mais pas le golf, réservé aux snobinards, et certaines activités culturelles reconnues. Il avait comme ça tout un tas de principes. De son point de vue, les romans de science-fiction n'étaient pas de la littérature, si bien qu'il se moquait volontiers des projets d'écriture d'Alexandre lorsque son fils lui en parlait. Stéphane avait vécu cette éducation rigide tant bien que mal en essayant de s'adapter au mieux à la route étroite imposée par son père. Ainsi, il avait passé son bac, son permis de conduire et fait son année de préparation au concours d'entrée à l'École normale sans avoir véritablement l'impression d'avoir lui-même guidé ses choix. Ce : « Tu seras professeur, mon fils ! » résonnait aujourd'hui encore dans la tête de Stéphane lorsqu'il observait en silence le visage sévère de son père. De sa mère, il ne gardait que le vague souvenir d'une femme froide, au teint blafard, malade et alitée. Celle qui l'avait mis au monde s'était éteinte sans bruit alors qu'il n'avait que huit ans.

— Te voilà rassuré maintenant que tu sais où sont tes darons.

— C'est clair ! Sauf qu'il est presque 21 heures et qu'ils sont toujours pas là, dit Alexandre en regardant une nouvelle fois sa montre de plongée.

— Bon, moi, je vais y aller. J'peux pas rester dîner. Tu me donnes tes futurs bouquins ?

Dans l'après-midi, à la fin de l'unique cours de deux heures, Alexandre avait téléphoné au directeur littéraire des éditions Aristarques. L'éditeur, très enthousiaste, avait demandé qu'Alexandre confie ses manuscrits à Stéphane pour qu'il les donne au guide de montagne. Une excursion dans les Alpes était prévue le samedi suivant.

En observant Alex descendre l'escalier les bras chargés de lourds dossiers, Stéphane émit un sifflement d'admiration.

— Ben dis donc, c'est toi qui as écrit tout ça ?

— Trois manuscrits ! Fais-y gaffe, ce sont les originaux. C'est tout mon avenir d'écrivain là-dedans.

Un bruit de Klaxon retentit au loin. Après s'être débarrassé de son fardeau, Alex appuya sur la commande de la caméra de l'entrée. Sur l'écran de contrôle, il aperçut un convoi inhabituel : une moto noire précédait le 4 x 4 de son père.

— Tiens, tes vieux sont là, dit Stéphane qui observait la scène derrière son épaule. Tu vois, tu n'avais aucune raison de t'inquiéter. Allez, salut, j'te laisse. Je donne tout ça au guide pour qu'on en fasse des best-sellers. Je t'appelle dimanche soir après ma randonnée alpine. J'te raconterai.

— Tchaou, Stef, régale-toi ! À dimanche soir. Tu penses rentrer tard ?

— Non, je travaille lundi matin à 8 heures. Je passerai te prendre comme d'hab ?

— OK, je serai prêt à 7 heures.

Lorsque Stéphane passa la porte d'entrée en saluant monsieur et madame Duquesne, Alexandre se précipita vers ses parents pour les embrasser.

3

Alexandre ne parvenait pas à trouver le sommeil. Il s'agitait dans son lit sans pouvoir chasser ses angoisses. Ce lundi qui n'en finissait plus était un véritable cauchemar. Les bâtonnets lumineux de son radio-réveil affichaient 23 h 45. Dans quinze minutes, une autre journée commencera, pensait-il en espérant s'éloigner au plus vite des moments qu'il venait de vivre. Il voulait oublier tout cela en enfonçant son visage dans l'oreiller, mais les images revenaient dans sa tête comme un mauvais film sans que rien ni personne ne puisse les arrêter. Il revoyait la route déserte du petit matin devant sa maison, son ami qui n'arrivait pas et l'attente interminable. En sortant la Clio du garage pour l'accompagner à la fac, sa mère lui avait dit : « Il aurait quand même pu te prévenir qu'il ne passerait pas te prendre ! » Puis son front s'était plissé et elle avait ajouté : « Pourtant, Stef est un garçon sérieux. Ce n'est pas dans ses habitudes d'agir comme ça ! »

Plus tard, dans la voiture, on n'entendait que les accélérations du petit moteur qui tentaient de rattraper le retard.

— Tu as essayé de l'avoir sur son portable ?

— Ne conduis pas si vite, maman. De toute façon, c'est fichu pour ma première heure de cours… Son portable ne répond pas. Chez lui non plus ça ne répond pas.

— Pourtant, son père devrait être là, non ?

— Oui… En principe.

Ensuite, sa mère avait allumé la radio. Le journaliste de France Inter n'avait fait qu'accentuer leur inquiétude :

« … *Enfin, cette dernière information qui vient de nous parvenir : disparition dans les Alpes du Sud de deux randonneurs de haute montagne ; il s'agirait d'un jeune homme et de son guide. Les recherches sont en cours.* »

Plus tard à la fac, la rumeur circulait que Stéphane Burce s'était tué en montagne après avoir effectué une chute vertigineuse. Puis le docteur Duquesne avait annoncé l'effroyable nouvelle. Alex reçut cet appel téléphonique comme un coup de poignard planté en pleine poitrine. Le cœur gros, il s'apprêtait à aller déjeuner au self lorsque la petite musique de son portable retentit :

— C'est papa. Il va te falloir être courageux, fiston. Ton ami Stéphane a eu un très grave accident.

— Qu'est-ce qu'il a ?

— On ne peut plus rien pour lui…

— Il est… ?

— Oui, il s'est tué. Ta mère voulait savoir. J'ai téléphoné au PGHM* de Chamonix. Je connais beaucoup de monde là-bas. À l'époque où je faisais du SAMU montagne, on se battait presque pour faire les sorties hélico. On a retrouvé des traces de sang et un sac à dos miraculeusement arrêté par un petit arbuste sur la paroi d'un à-pic de plusieurs centaines de mètres. C'est comme ça qu'ils ont pu identifier les victimes. Ils pensent que les corps ont été emportés par un torrent en contre-bas et qu'ils les retrouveront plus tard en aval au niveau d'un barrage hydraulique. Enfin, c'est ce qu'ils m'ont dit. Il paraît que c'est souvent comme ça, mais ça peut prendre plusieurs jours, voire plusieurs semaines.

— Putain, c'est pas vrai ! Pas lui, pas Stef…

— Tu sais, la vie, c'est parfois très con. J'ai essayé d'avoir son père au téléphone, mais il n'y a personne chez lui. Je suppose qu'il a dû se rendre là-bas pour avoir des infos. Le pauvre doit être dans tous ses états. Il n'a vraiment pas de chance, ce type :

---

* PGHM : Peloton de Gendarmerie de Haute Montagne.

sa femme il y a dix ans, maintenant son fils… Il se retrouve tout seul… Pfft ! Quelle connerie ! Allez, sois courageux, fiston, on se voit ce soir. Je t'embrasse. Courage. On ne peut rien faire de plus maintenant.

Alexandre avait maintenant les yeux grands ouverts dans la pénombre de sa chambre. Il scrutait la pâle lueur du plafond. Son cerveau bourdonnait comme un vieux projecteur de cinéma. Il imaginait la chute terrible de Stéphane dans le profond ravin ; le cri qu'il avait dû pousser en se sachant perdu, l'aspiration du vide, les impacts sur les rochers saillants, sa chair tranchée et enfin les eaux bouillonnantes charriant le cadavre. Il se souvenait du visage vivant de son meilleur ami. Celui qui lui avait demandé vendredi soir : « Je passerai te prendre comme d'hab ? »

Alexandre se leva d'un bond en balançant les draps par-dessus le lit, trébucha sur un livre, trouva l'interrupteur, alluma la lumière de l'étage et descendit l'escalier en claudiquant. Comme chaque fois, la troisième marche en bois grinça, et, comme chaque fois, sa mère l'entendit et murmura du fond de sa chambre : « C'est toi, Alex, tu es malade ? » Alexandre hocha la tête, les yeux au ciel. Il fallait qu'elle le laisse un peu tranquille. Sa mansuétude l'étouffait. Pourtant, il lui répondit sans laisser paraître le moindre agacement : « Je vais bien, maman, je vais simplement boire un verre de Coca. Rendors-toi. »

La lumière bleutée du réfrigérateur ouvert lui évoqua le glacé de la mort. Il saisit une canette qu'il fit rouler un bon moment sur sa peau, puis referma la porte du frigo. Le verre embué de fraîcheur soulagea le feu de ses joues et de son front. Peut-être était-il fiévreux ? Il but d'un trait, jusqu'à ce que les gaz de la boisson remontent dans son crâne pour laver ses idées. Il repensa à ses manuscrits et eut un peu honte d'être aussi égoïste en un pareil moment. Stéphane avait dû remettre les documents au guide, mais celui-ci n'avait certainement pas eu le temps de les faire parvenir à l'éditeur. Seul le dernier roman était en partie sur disquette. En donnant le vendredi soir les originaux à son ami, Stéphane avait été d'une incroyable légèreté. Désormais, il n'existait certainement plus grand-chose de toutes ses longues heures d'écriture. En traînant ses pieds nus sur le parquet ciré, il songea au bois dont on fait les cercueils. Son ami n'aurait peut-être même pas droit à un enterrement si le corps n'était pas retrouvé. Faire un mauvais pas et disparaître pour toujours, c'était trop con ! Son père avait raison : la vie, c'est parfois très con.

Alex s'effondra sur le sofa du salon et éclata en sanglots.

4

Marlène souffrait de boulimie. Les crises survenaient chaque fois qu'elle ne parvenait pas à surmonter un problème. Devant sa troisième assiette de spaghettis, elle essayait de mettre un peu d'ordre dans ses idées. Son bracelet-montre maculé de sauce tomate attira son attention. D'un geste rageur elle essuya la tache rouge avec un morceau de papier absorbant. Il n'est que 6 heures et je mange encore sans faim, s'étonna-t-elle en nettoyant le petit cadran de verre. Elle jeta un regard au-dehors. La fenêtre de sa cuisine était restée entrouverte toute la nuit. Un jour naissant auréolait la cime des arbres et des anges de chlorophylle déployaient de grandes ailes remplies de rosée. Tout cela était si calme, si apaisant. À l'étage, son mari et son fils dormaient. Elle se surprit à envier leur sommeil qui devait ressembler à la sérénité de ce paysage matinal. Depuis deux mois, Alex n'était plus comme avant, et c'était bien là le problème de Marlène. Elle qui vivait en partie pour lui ne savait plus quoi faire pour améliorer la situation. Depuis deux mois. Depuis deux longs mois. Depuis la disparition de Stéphane, Alex ne parlait plus. Il ne s'exprimait que pour dire l'essentiel. Ses « oui, bonjour, non, au revoir, merci » coupaient court à toute tentative de conversation. Alex ne mangeait pour ainsi dire plus. Résultat : vingt kilos de perdus en huit semaines. Alex restait cloîtré des heures entières dans sa chambre à ne rien faire. Alex n'écoutait plus de musique. Alex ne lisait plus. Alex n'écrivait plus. Alex ne riait plus. Alex ne pleurait plus. Bref, Alex mourait doucement. Anorexie mentale. Le docteur Lombard, neuropsychiatre de son état, avait jeté ce diagnostic péremptoire à la figure de son vieil ami Roland. Puis, en s'éloignant du jeune patient, il avait ajouté au creux de l'oreille du docteur Duquesne : « Occupe-toi de ton fils, parle-lui, distrais-le. Je suis assez optimiste. Il fait une réaction de deuil un peu violente, mais pour l'instant il n'est pas question de médicaliser la chose. Avec le temps tout devrait rentrer dans l'ordre. Allez, hop ! » avait-il conclu enfin en envoyant une grande claque dans le dos voûté de son confrère. Après cette consultation, les journées de la famille Duquesne s'étaient écoulées dans la viscosité d'une sombre mélancolie. La mère d'Alexandre avait essayé de toutes ses forces d'arrêter cette dégringolade, de freiner l'hémorragie de chagrin qui était sur le point d'engloutir son fils, mais tous ses efforts avaient été ponctués de soupirs et de claquements de portes. En fait, c'était la première fois depuis son départ de Paris pour la région toulousaine que la femme de Roland était sous l'influence d'une aussi forte déprime. Elle était vidée, aspirée, creusée et pressentait l'imminence d'un drame. Et tout cela sans raison véritable puisque le psychiatre avait su être rassurant sur le pronostic d'Alexandre. Pour lutter contre son angoisse, Marlène se remplissait le ventre de nourriture insipide. Lorsqu'elle n'en pouvait plus de cette douleur béante, elle absorbait dans le désordre tout ce qui lui tombait sous la main. En mastiquant, elle écrasait rageusement son malheur. En avalant, elle le faisait disparaître. Pour un moment seulement. Jusqu'à la prochaine bouchée. Entre les deux, la brûlure revenait, impitoyable, inexorable, encore plus terrible qu'auparavant. La boulimie était la seule réponse qu'avait donnée Marlène à l'anorexie de son fils. Et maintenant, elle aspirait les pâtes tièdes en savourant son dégoût. Un éclair de lucidité illumina la pénombre de sa folie et elle se demanda ce qu'il fallait pour être heureux. Très peu de chose en fait. Elle comprit que le bonheur est si fragile que, au moment où on le vit, rares sont ceux qui en ont bien conscience. Avant le décès de Stéphane, tout était sans ombrage ; c'était ça, le bonheur. Qui aurait pu s'en douter ? Personne, même pas moi, rumina encore Marlène avec amertume.

Soudain un bruit de moteur la fit sursauter.

Alex venait de démarrer en trombe la moto de son père. Marlène eut tout juste le temps de le voir disparaître dans une écume de graviers.

Marlène rassembla à la hâte les vestiges de sa voracité. Elle savait que son mari, réveillé par le départ de la moto, ne tarderait pas à venir la rejoindre dans la cuisine. Roland n'ignorait pas la maladie de sa femme. Il n'avait entendu que trop souvent les efforts qu'elle faisait pour se faire vomir dans les toilettes après avoir ingurgité des quantités astronomiques de nourriture. De plus, il fallait être aveugle pour ne pas s'apercevoir de la disparition rapide des victuailles entassées dans les placards. Mais la déviance de Marlène faisait partie des non-dits que le couple occultait consciencieusement pour ne pas multiplier les problèmes. Elle venait d'essuyer d'un coup d'éponge le marbre blanc de la table après avoir placé son assiette dans le lave-vaisselle, lorsque son mari la fit sursauter.

— Tu es bien matinale. Qu'est-ce que tu fais ? La femme de ménage ne vient pas aujourd'hui ?

Marlène préféra recadrer la discussion sur l'essentiel :

— Je te signale qu'Alex vient de partir avec ta moto !

Il sourit.

— Oui, je sais. Il m'a demandé la permission de l'emprunter hier soir.

Autrement dit, j'étais la seule à ne pas être au courant, songea Marlène, jalouse de ce secret. Elle n'en comprenait pas la raison, car, de toute façon, cette petite cachotterie serait dévoilée à un moment de la journée. Elle devina pourtant qu'ils l'avaient mise devant le fait accompli pour qu'il lui soit maintenant impossible d'interdire cette escapade. Son mari ne lui laissa pas le temps d'intervenir :

— Alex a reçu un coup de fil de l'éditeur qui a lu ses manuscrits. Il est emballé et veut absolument le rencontrer. Alex était fou de joie, ça faisait plaisir à voir. C'était la première fois que je le voyais aussi enthousiaste depuis la mort de Stéphane. Nous n'avons pas voulu te réveiller, car il était plus de minuit et…

— L'éditeur a appelé ici après minuit ?

— Oui, je te répète que le type était complètement emballé par les textes d'Alex, et après avoir terminé sa lecture, il a tenu à le contacter sans attendre plus longtemps. Nous regardions un match de boxe à la télé lorsque le téléphone a sonné. Tu n'as rien entendu ?

— Non, j'avais pris mon Lexomil, répondit Marlène de plus en plus intriguée.

Roland savait bien ce qui se passait lorsque sa femme prenait son somnifère : elle s'endormait en moins d'une minute et, dès lors, même une fanfare au grand complet ne serait parvenue à la réveiller.

— Mais je croyais que les manuscrits d'Alex étaient perdus, reprit Marlène.

— Oui, tout le monde le pensait. Sauf que le guide de montagne qui avait les manuscrits a pu les faire parvenir à l'éditeur avant l'accident.

— Les éditions Aristarques ? Celles que nous avons recherchées sur le Net pendant toute une soirée ?

— Exactement ! Et donc le type en question lui a donné rendez-vous ce matin à 9 heures dans son bureau. Alex a voulu s'y rendre seul. C'est normal, à son âge, on n'a pas envie de faire ses affaires en présence de papa-maman. Je lui ai quand même dit de ne rien signer sans nous en parler.

— Il est parti bien en avance ! Il est où, ce fameux bureau, à trois cents kilomètres ?

— Pas si loin que ça, en Ariège, dans un tout petit village au fond d'une vallée perdue.

— Il ne t'a pas donné d'adresse précise ?

— Non, c'est Alex qui a pris la communication. Il a dessiné un plan sur son carnet. Tu sais, je n'ai pas voulu jouer les papas poules, en tant que parent il faut savoir rester discret.

— Oui, mais je sais aussi que les parents doivent empêcher leurs enfants de faire les plus grosses bêtises de leur vie !

Marlène ne pensait pas si bien dire.

5

Planté sur le perron de sa maison, Roland était groggy. Il serrait son verre de whisky en tremblant comme l'aurait fait un naufragé accroché à une bouée de sauvetage. Devant lui, l'homme en blouse blanche paraissait inquiet. Personne ne parlait. L'ambulancière brisa le silence :

— Bon, on va y aller maintenant. Vous êtes sûr que ça va, docteur ? On peut vous laisser ?... Vous avez mauvaise mine.

— Où l'emmenez-vous ?

— Le médecin vous l'a déjà dit, docteur. Votre épouse va être admise au pavillon Sainte-Catherine. De toute façon, l'interne de garde vous appellera dès qu'il l'aura examinée.

— Elle ne sera pas vue par un psychiatre ?

— Bien sûr que si, mais vous savez bien qu'à cette heure-ci ce sont encore les internes de nuit qui reçoivent les urgences. Le spécialiste la verra après.

— Quelle heure est-il ?

— 6 heures. Je vous conseille d'aller vous reposer, vous avez l'air épuisé.

— J'ai un ami psychiatre qui travaille là-bas. J'aimerais autant que ce soit lui qui s'occupe d'elle ; c'est le docteur Lombard, Michel Lombard. Vous vous souviendrez de ce nom ?

— Oui, nous ferons le nécessaire. Vous voulez que je vous laisse un anxiolytique ou quelque chose pour dormir ?

— Non merci, j'ai ce qu'il faut, soupira Roland en levant son verre.

Avant de remonter à l'avant du fourgon, l'ambulancière ouvrit un des deux battants de la cellule sanitaire et échangea quelques mots avec le médecin du SAMU. L'espace d'un instant, le docteur Duquesne aperçut le visage inanimé de sa femme et les flacons de perfusion qui semblaient flotter au-dessus du brancard. L'homme en blanc fit un petit geste rassurant avant de refermer la porte, puis le gyrophare se ralluma et le rectangle de lumière s'éloigna doucement. Les yeux remplis d'un chagrin qui ne voulait pas couler, Roland avala une nouvelle gorgée d'alcool. La brûlure qui griffait son estomac n'était rien à côté de la terrible douleur qui l'étreignait depuis la veille au soir. Maintenant, son esprit était dans le même état crépusculaire que ce petit matin de juillet ; une sorte de brume filandreuse éclaboussée de flashs bleus. À tâtons, ébloui et sonné, Roland pénétra dans le hall pour actionner le bouton de la grille. Sur l'écran, il vit la camionnette blanche emporter Marlène. Tout s'embrouillait dans sa tête. Il essayait bien de rassembler ses idées, de mettre de l'ordre dans ses souvenirs. Il essayait. Mais rien à faire. Chaque fois tout s'effondrait et c'était toujours le même frisson de terreur qui le traversait. Il devinait que désormais plus aucun soleil ne parviendrait à le réchauffer et que sa vie ne serait plus qu'une longue et pénible attente. De ce qu'il avait mis des années à construire ne subsistait qu'un immense trou béant dans lequel il aurait voulu disparaître. Dormir et ne plus jamais se réveiller... Il comprenait le désespoir de Marlène, qui s'était ouvert les veines avec un couteau de cuisine au beau milieu de la nuit. Lui aussi, à ce moment-là et encore maintenant, aurait souhaité la suivre dans sa fuite. Il avait hésité un instant, puis, sans vraiment savoir pourquoi, avait finalement décidé de l'extraire de l'eau rougie de la baignoire, de l'allonger sur le lit et de faire un gros pansement compressif sur ses deux poignets ensanglantés avant de composer le 112. Pourtant, le cataclysme, ils l'avaient vécu ensemble. C'était même lui qui avait reçu le premier, de plein fouet, la terrible nouvelle. Marlène, en voyant le corps de son mari se plier en deux devant les gendarmes, avait tout de suite compris. Il était resté un long moment comme ça, dans cette attitude de foudroyé, et avait ensuite caché son visage dans ses mains blanches et crispées avant de hurler comme un vieux loup pris au piège. Un stupide accident de moto venait de tuer Alex.

« Plus rien à foutre de rien ! » cria Roland en se resservant à boire comme s'il dialoguait avec un autre lui-même. Le Jack Daniel's avait le goût du désespoir. « À quoi bon ? » murmura-t-il encore en envoyant valdinguer son verre contre le mur de la cuisine. L'explosion laissa sur les carreaux blancs une empreinte dégoulinante de pissotière. Il fallait arrêter le temps et revenir en arrière. Oui, c'est ça, revenir en arrière. C'était vital. Juste avant que les gendarmes arrivent. Ne plus penser au présent. Roland ouvrit le robinet et exposa sa nuque au mince filet d'eau. La sonnerie du téléphone le fit sursauter. Des picotements emprisonnaient son cuir chevelu. Il se frictionna énergiquement avec un torchon pour se débarrasser de la main de géant gantée d'aiguilles minuscules qui lui vrillait la tête. Il décrocha enfin. À l'autre bout du fil, il reconnut la voix de Rémi, son infirmier anesthésiste :

— Ah, c'est toi !... Non, vous pouvez annuler mon programme opératoire. Je ne viendrai pas travailler aujourd'hui, ni demain, ni après-demain, ni les autres jours de la semaine. D'ailleurs, je ne sais pas si un jour je trouverai la force de pouvoir revenir travailler... Non, je ne plaisante pas. Je n'ai aucune envie de plaisanter... Mon fils vient de mourir et ma femme est enfermée chez les fous. Je n'ai plus rien. Plus rien. Tu m'entends ? Plus rien du tout ! hurla Roland en lâchant le combiné pour étouffer ses pleurs.

— Allô ? ... Allô ?... Allô ?

La petite voix lointaine de Rémi resta sans réponse.

6

Au milieu du déluge, le 4 x 4 avançait au ralenti. Les mains crispées sur le volant, le docteur Duquesne plissait les yeux pour tenter de percer le torrent de pluie qui s'abattait à grand bruit sur le pare-brise. Cette contraction supplémentaire du visage le rendait presque méconnaissable. Une barbe de deux jours, la profondeur des rides et la mâchoire serrée par une mimique douloureuse l'avaient métamorphosé en un vieillard aigri. Depuis l'annonce de la mort de son fils, il n'avait eu aucun répit. La tension ne s'était jamais relâchée et rien ne lui avait été épargné. Absolument rien. La morgue surtout. Le moment terrible du tiroir qui coulisse en grinçant. Le drap blanc relevé sur un monstrueux visage défoncé. Un visage incompréhensible, sans relief. Un visage en bouillie. Un visage, ou plutôt un amas de chairs torturées au-dessous d'un crâne rasé. Les paroles du médecin légiste avaient fini de l'anéantir : « Il n'a pas eu le temps de souffrir, la bûche qui est tombée du camion a défoncé son casque. La mort a dû être instantanée. » Juste avant, il avait dit : « Je vous préviens, ce n'est pas beau à voir. » Roland se souvenait aussi de la voix aigrelette du petit homme trapu qui lui avait fait signer le registre avant de sortir. Maintenant, les phrases du petit gros se mélangeaient dans sa tête et il essayait tant bien que mal de reconstruire la scène de l'accident de ce petit matin de juillet où Alex, qui avait emprunté la moto de son père pour rencontrer le directeur des éditions Aristarques en Ariège, avait en fait rendez-vous avec la mort. Tout ça était tellement stupide ! Stupide comme tous les accidents ! Oui, stupide comme tous les drames de la route dont le docteur Duquesne avait été le témoin lorsqu'il exerçait au SAMU de Toulouse. Mais, il fallait bien en convenir, celui-là battait tous les records de stupidité. Et, pour comble de cruauté, la victime était son propre fils. Le tout jeune motard suivait un camion sans pouvoir le doubler car la route étroite et sinueuse n'offrait aucune visibilité pour envisager un dépassement. Devant lui, la semi-remorque qui charriait du bois roulait assez vite, ou en tout cas trop vite pour la charge transportée. Les accidents sont toujours la résultante d'une accumulation de « trop », pensa Roland – trop vite, trop lourd, trop près… trop con – et d'une succession de malchances : une chaussée défoncée qui fait vibrer un chargement mal arrimé, une sangle de maintien qui se desserre et une grosse bûche qui dégringole sur la chaussée. Le rapport de gendarmerie avait reconstitué la trajectoire du projectile, qui avait rebondi deux fois sur le goudron avant de percuter Alexandre. Le conducteur du camion – un pauvre type qui travaillait à son compte – avait été entendu par le procureur et remis en liberté après une garde à vue de vingt-quatre heures. Le malheureux bûcheron n'avait rien pu faire d'autre que de rejoindre la ferme la plus proche pour demander du secours car il ne possédait même pas de portable. De toute façon, cela n'aurait rien changé à l'histoire : selon le légiste, la mort avait dû être instantanée. Roland en était là de ses ruminations lorsque le bip de son téléphone retentit. Grâce à l'accès « mains libres », il put répondre tout en continuant de rouler.

— Allô ?

— Oui, allô ! Maurice Burce à l'appareil, le père de Stéphane. Je ne vous dérange pas ?

— Euh, non…

— On ne se connaît pas vraiment, mais… en fait, c'est un peu comme si nous étions de vieilles connaissances car nos enfants se fréquentaient beaucoup et je…

— Allô ?

— Oui, je suis toujours là. Il y a un drôle de bruit. Vous m'entendez bien ?

— Assez mal. Je suis en voiture. Je reviens de la morgue de l'hôpital de Foix pour régler les paperasseries administratives concernant mon fils.

— Je voulais vous dire : je suis de tout cœur avec vous.

— Merci…

— Vous savez, j'ai vécu moi aussi la même chose. C'est une épreuve terrible. Une épreuve inhumaine presque insurmontable. Et les gens vous disent tout un tas de bêtises : la vie continue, il faut être fort, gna-gna-gna. Qu'est-ce qu'ils en savent, eux, hein ? Rien. Ils n'en savent rien. Il faut vraiment avoir vécu ça pour se rendre compte de ce que c'est. Moi, je voulais me suicider, en finir une fois pour toutes. Et puis est arrivée une chose extraordinaire… Allô, vous m'entendez ?

— Oui, je vous écoute.

— Je vous disais qu'au moment où j'allais me tuer est arrivée une chose extraordinaire : j'ai eu la preuve de la survivance de mon fils. Stéphane m'a parlé. Par-delà le temps et l'espace, il a pu me parler.

— Vous avez la chance d'avoir la foi, ce n'est malheureusement pas mon cas.

— Stéphane est dans une autre dimension et Alexandre va aller le rejoindre. Mon fils est heureux là où il est. Il accueille les trépassés. Dans un futur proche, il aura la connaissance absolue.

— Écoutez, monsieur Burce, je suis désolé mais je dois raccrocher car je suis en train de conduire et que les conditions météo sont très mauvaises. En tout cas, merci pour votre appel.

— À bientôt, monsieur Duquesne. Pensez à ce que je vous ai dit. Que Dieu vous bénisse !

Roland n'attacha pas une grande importance aux propos de Maurice Burce. Il pensa que le malheur qui venait de le frapper devait être à l'origine de sa folie. « Dans une autre dimension,

45

tu parles », marmonna-t-il en négociant le virage qui devait l'emmener sur l'autoroute.

La pluie venait de s'interrompre et un arc-en-ciel colorait les vallons. L'éclat bleuté de la route détrempée s'étirait comme une lame de sabre. Son cœur n'en finissait plus de saigner. Il demeurerait inconsolable. Définitivement inconsolable. Il en était maintenant persuadé. Une fois arrivé sur la quatre voies, Roland Duquesne enclencha son régulateur de vitesse bien au-dessus de la limite autorisée. Il désirait rejoindre Toulouse au plus vite pour rentrer chez lui prendre une douche, se raser et avaler un grand bol de café brûlant, avant de retrouver Marlène au pavillon Sainte-Catherine de l'hôpital Marchand. Sauf imprévu, il serait là-bas en début d'après-midi.

Roland désactiva le régulateur en appuyant sur la pédale de frein. Au loin, en bordure d'autoroute, il venait d'apercevoir une sorte de balise qui clignotait. Il ne lui fallut qu'une dizaine de secondes pour identifier le véhicule qui actionnait ses feux de détresse sur la bande d'arrêt d'urgence. Une Chevrolet noire aux vitres teintées avait le capot ouvert. Cent mètres plus loin, une silhouette en imperméable fit de grands signes en direction de Roland. Les pans de son vêtement détrempé voletaient en tous sens. L'homme souriait. Les larges bords de son chapeau dégoulinaient. Il devait être là depuis pas mal de temps. Il tenait une grande pancarte. Lorsque le docteur Duquesne parvint à lire l'inscription, il manqua défaillir. L'afflux d'adrénaline qui inonda aussitôt ses artères l'empêcha de freiner. Les trois mots écrits en majuscule lui firent l'effet d'un électrochoc :

« ALEX EST SURVIVANT »

7

Une nuée de minuscules oiseaux voletait furieusement au milieu des nuages. Leur éclat scintilla un instant sur le vernis du cercueil avant de disparaître définitivement sous les premières pelletées de terre. Devant la sépulture d'Alexandre, Maurice Burce et Roland Duquesne observaient en silence le travail des deux fossoyeurs qui transpiraient tandis qu'un cortège d'ombres, de tulles, de voilettes et de lunettes noires s'éloignait en chuchotant.

L'émouvante présence des copains d'Alex, l'église trop petite pour tous les accueillir, l'oraison funèbre, la montagne de fleurs et de couronnes, cela aurait dû faire craquer Roland comme n'importe quel père en de telles circonstances. Oui mais voilà, c'était trop tard. Son âme était percée et il était blindé, totalement insensible, imperméable à la moindre émotion. N'importe quelle émotion, fût-elle des plus tragiques ou des plus tendres. Quelque chose en lui s'était définitivement brisé le jour où, plié en deux par la douleur, il avait reçu en plein milieu de la poitrine la terrible nouvelle de la mort de son unique fils. Désormais, rien ni personne ne pourrait l'atteindre ni l'émouvoir. Absolument rien. Perdu dans sa rancœur, il écoutait d'une oreille distraite le discours incessant de son voisin. Maurice Burce, qui semblait hypnotisé par le mouvement répétitif des deux hommes sur le point d'achever leur labeur en soufflant, psalmodiait des prières avec des yeux de fou. Roland ne percevait que quelques bribes de sa liturgie. Il était question de « bénédiction céleste », de « vie lumineuse auprès du Seigneur » ou de « grâce de Dieu ». Le père d'Alexandre dut se retenir de toutes ses forces pour ne pas pousser le bavard dans le trou après l'avoir assommé à coups de pelle. En fait, il évita le meurtre en pensant à Marlène car il s'était juré de la sortir de là, de l'extraire de cette espèce de torpeur dans laquelle elle avait brutalement sombré, de l'arracher à cette horrible sidération cérébrale qui la figeait. Pour elle, le choc avait été trop fort. Anorexique et aphasique, elle refusait tout. Roland avait mesuré la première fois l'étendue des dégâts la veille de l'enterrement, dans la petite chambre blanche du pavillon Sainte Catherine. Sa femme était restée muette du début à la fin de sa brève visite. Pas un son n'était sorti de sa bouche. Il n'avait même pas eu droit à un signe ou à un geste de la main. Assise sur le rebord de son lit, elle avait écouté son mari avec un sourire idiot scotché sur ses lèvres. À aucun moment il n'était parvenu à effacer cet épouvantable rictus. Elle souriait. Et lui, Roland, ne voyait plus que ça : ce visage de Joconde glacée qui s'imposait à lui alors que ses paroles n'avaient rien de drôle. Il avait même insisté sur les moments sordides qu'il venait de vivre pour tenter de la remuer un peu, mais l'électrochoc escompté était resté sans effet. Par exemple, l'évocation du corps mutilé d'Alexandre exposé à la morgue n'avait suscité chez elle aucune émotion particulière : elle souriait toujours. Il avait aussi essayé de piquer sa curiosité en parlant de l'homme à la pancarte rencontré sur l'autoroute. Il lui avait dit qu'après avoir lu cette abominable inscription il était devenu comme fou et était revenu sur les lieux en se laissant guider par son GPS pour constater que la Chevrolet et son conducteur avaient disparu sans laisser la moindre trace ; mais elle souriait encore.

— Vous m'écoutez, docteur ? s'inquiéta Maurice Bruce.
— Non, vous m'emmerdez, répondit Roland en tournant les talons.

Le docteur Duquesne remonta la petite allée gravillonnée du cimetière. Le bruit sec de ses pas lui évoqua le craquement des squelettes dans les tombes et, une nouvelle fois, une main invisible lui griffa l'estomac. La tête basse et le dos voûté, il monta dans son 4 x 4. On eût dit un noyé escaladant un char d'assaut devenu bien trop grand. Une fois au volant, il descendit aussitôt pour enlever un papier plié en quatre coincé sous l'essuie-glace. L'écriture était petite et serrée. Une sueur froide ruissela dans son dos lorsqu'il parvint enfin à déchiffrer le message :

« Alex est survivant. Je viendrai chez vous ce soir à 21 heures pour vous annoncer la bonne nouvelle. Dieu est grand. ALLÉLUIA. »

8

Michel Lombard était un homme osseux aux joues creuses. Mis à part la monture rouge de ses lunettes et le motif psychédélique de son nœud papillon, tout chez lui inspirait la sécheresse et la rigueur. Ces deux accessoires surprenants qui explosaient sans vergogne sur une blouse blanche impeccablement repassée laissaient penser que, comme n'importe quel psychiatre digne de ce nom, le docteur Lombard, qui était aussi un des meilleurs copains de fac de Roland, possédait le petit grain de folie nécessaire et suffisant à l'exercice de sa profession. Enfoncé dans un vieux fauteuil de bureau, il levait de temps en temps un sourcil pour offrir à son interlocuteur un regard compatissant. Ce qu'il venait de lui dire au sujet de sa femme n'était pas très enthousiasmant.

Maintenant, c'était Roland qui parlait. Son confident de toujours l'écoutait en aiguisant des crayons de papier. Depuis le début du cauchemar, le docteur Duquesne pouvait enfin s'exprimer, presque sans retenue. En fait, jusqu'à présent, il avait vécu dans l'illusion qu'il demeurait maître de son destin. La mort accidentelle de son fils lui avait montré à quel point il s'était fourvoyé. Jamais auparavant il n'avait éprouvé un tel sentiment de vulnérabilité, et le seul fait de livrer ses angoisses et ses peurs le soulageait d'un fardeau qui devenait de plus en plus lourd. Après avoir vidé une partie de son désespoir sur les épaules de son ami, l'air songeur, il demanda :

— Qu'est-ce que tu penses de Marlène ? Elle va s'en sortir ?

— Elle t'a parlé ?

— Non…

— Elle t'a reconnu ?

— Je n'en sais rien. À vrai dire, non, je ne crois pas.

— Hmm, ouais, en fait elle ne progresse pas. Elle fait un locked-in syndrome. Tu sais comme moi ce que cela signifie.

Le docteur Duquesne connaissait parfaitement cette pathologie apprise sur les bancs de la faculté. Victime d'un choc psychologique intense, la personne qui souffre de ce syndrome – décrit pour la première fois en 1965 par Posner – s'enferme dans un mutisme complet en refusant toute communication, cela de façon inconsciente et incontrôlée.

— C'est bien ce que je craignais. Il y a du nouveau sur cette maladie ?

— Malheureusement pas. Aujourd'hui encore, personne ne connaît l'évolution de ce genre de psychose. Une émotion forte pourrait peut-être la guérir, c'est pour ça que j'espère beaucoup de tes visites. Elles sont essentielles, tu sais.

— Oui, je vois, répondit Roland en se levant pour prendre congé.

— Ah, j'ai autre chose à te dire avant que tu ne partes.

— Oui ?

— Cet homme, avec lequel tu m'as dit avoir rendez-vous ce soir…

— Oui, eh bien ?

— À ta place je me méfierais. D'après ce que tu m'as raconté, ce type m'a tout l'air d'être un schizo. Méfie-toi, en périodes délirantes ils peuvent être très dangereux.

— Sois sans crainte, j'aurai ma bombe anti-agression à portée de main, ironisa Roland.

— Je te conseille d'aller te reposer. L'enterrement de ton fils ce matin, l'échec de communication avec ta femme cet après-midi, ça fait beaucoup pour un seul homme ! Ne tire pas trop sur la corde quand même, sinon je risque de t'avoir bientôt comme patient. Nous aussi, nous avons nos limites.

Roland était trop fatigué pour poursuivre la discussion. Il n'avait qu'une hâte : être plus vieux de quelques heures pour savoir ce que voulait lui dire l'homme à la Chevrolet noire. Il fit un petit signe de la main à son ami et referma la porte du bureau sans dire un mot de plus.

9

Une nouvelle fois, Roland sentit la lourde chape de la dépression s'abattre sur son dos. C'était comme un épais manteau de plomb qui voulait l'étouffer en l'empêchant de bouger. Il regarda sa montre et un sentiment de panique l'envahit. 20 h 45. Dans une quinzaine de minutes, le dangereux schizophrène annoncé serait là. Michel avait sans doute raison, il fallait se méfier. Être là pour le recevoir, mais se méfier quand même. Roland se posait trop de questions à son sujet pour se défausser. Pourquoi cet homme mystérieux l'avait-il choisi comme cible alors qu'il était déjà accablé par la plus terrible des épreuves ? Qu'attendait-il de lui ? Pourquoi prétendait-il que son fils était encore vivant ? Quelle logique se cachait derrière cette folie ? Que venait-il faire chez lui ? Pourquoi avoir voulu que cette rencontre se fasse chez lui, d'ailleurs ? Pour être plus tranquille, hors de portée des gêneurs ? Oui, sans doute. Mais pourquoi ? Pour le tuer ? Le tuer pourquoi ? Plus Roland réfléchissait, plus son taux d'adrénaline montait. Ses mains étaient moites de sueur et son cœur battait en écho dans ses tempes. Au fond de lui, il n'avait plus peur de la mort, car mis à part la très hypothétique guérison de Marlène, désormais plus grand-chose ne le retenait dans ce monde. Ce qui le faisait le plus souffrir était le fol espoir suscité par les mots inscrits sur la pancarte : « Alex est survivant ». Il savait que c'était faux, bien sûr. Il avait vu le corps, assisté à sa mise en bière et à la révoltante descente du cercueil au fond du trou. Oui, il savait que c'était faux, et pourtant... Pourtant, quelque part au fond de lui, une partie de son être refusait l'horreur de cette disparition. Peut-être était-il en train de faire un mauvais rêve et l'homme au chapeau aperçu sur l'autoroute allait-il le réveiller ? Peut-être. Roland se dirigea vers le bar et se servit un autre whisky. La sonnerie du téléphone le fit sursauter. Il consulta une nouvelle fois sa montre : 21 heures.

— Allô ?

— Je ne vous dérange pas ?

— Monsieur Burce ?

— Oui, excusez-moi de vous appeler à une heure aussi tardive. Je sais que vous attendez quelqu'un et je…

— Qu'est-ce que ça veut dire ? Vous connaissez le cinglé avec qui j'ai rendez-vous ? coupa sèchement Roland.

— Ce n'est pas un cinglé, comme vous dites. Vous allez rencontrer maître Raudive. Je me suis permis de lui parler de vous. Vous avez de la chance, c'est un très grand médium. Il va vous faire entrer en communication avec Alexandre. Grâce à lui, j'ai pu moi-même dialoguer avec mon fils, et sans ça j'aurais…

— Arrêtez, j'en ai assez entendu ! Foutez-moi la paix avec vos histoires à la con ! Vous m'entendez : FOUTEZ-MOI LA PAIX ! hurla Roland avant d'appuyer sur le bouton d'arrêt de communication comme s'il eût voulu étrangler le combiné.

Le docteur Duquesne était fou de rage. Ainsi, c'était donc ça : l'homme en question était un médium, un de ces charlatans qui profitent de la détresse humaine pour se faire mousser. Comme la grande majorité des scientifiques, et en particulier des médecins, Roland Duquesne détestait ne pas comprendre, ne pas pouvoir expliquer. Il vomissait le paranormal et les médiums, surtout en de pareilles circonstances.

On frappa à la porte d'entrée. Trois petits coups discrets presque inaudibles. Ivre de colère, il alla ouvrir. L'homme était très grand, plutôt athlétique, et dans un premier temps sa stature imposante fit reculer Roland. La silhouette de l'intrus dégageait une impression de puissance maîtrisée. Il semblait enraciné, inamovible. Ses jambes ouvraient une sorte de saharienne de couleur indéfinissable entre le gris et le beige foncé. Le vêtement descendait jusqu'à mi-cheville et ce triangle ténébreux fiché sur le seuil de la porte semblait capable de tout envahir, de tout engloutir en un seul instant avec une force inimaginable. Le regard bleu électrique du géant contrastait avec sa tenue sombre. Des rides profondes dessinaient une expression mitigée située entre la douleur et la cruauté. Les larges bords de son chapeau noir dégoulinant de pluie masquaient une partie d'un grand front dégarni.

Roland se ressaisit :

— Par où êtes-vous entré ?

— Je me suis garé devant chez vous et j'ai escaladé votre portail. J'ai deviné que vous n'alliez pas m'ouvrir. Je me trompe ? demanda le colosse d'un ton trop courtois. La voix aussi était bizarre ; un mélange de douceur et de fausse bienveillance. Il parlait lentement, beaucoup trop lentement compte tenu de l'état d'énervement de Roland. D'ailleurs sa réponse ne se fit pas attendre :

— C'est exact ! Écoutez, je n'ai aucune envie de vous recevoir. Je sais qui vous êtes : monsieur Burce vient de me téléphoner. Désolé de vous décevoir, mais tout ça ne m'intéresse pas.

Le médium fixa avec insistance le regard de son interlocuteur comme pour mieux lire ses pensées. En un éclair, il anticipa la réaction de Roland et avança son pied droit contre le chambranle. Il eut tout juste le temps de lancer un petit carré de bristol dans l'entrebâillement de la porte avant que celle-ci ne se referme violemment. Les cinq centimètres de chêne massif étouffèrent à peine ses propos insistants :

— Je dois vous parler, docteur Duquesne. Votre fils nous a fait un signe. Il est en survivance et j'ai pu entrer en communication avec lui. Vous ne pouvez pas laisser passer une occasion comme celle-là. Vous n'avez pas le droit. À bientôt. Je sais que nous nous reverrons bientôt.

Le docteur Duquesne ramassa la carte de visite échouée sur le carrelage du hall d'entrée et haussa les épaules en lisant l'intitulé :

Maître William Raudive
Médium
Spécialiste en Transcommunication Instrumentale

10

Le sexagénaire qui reçut le docteur Lombard au service de neurologie du CHU de Toulouse avait une allure bizarre. Le médecin remarqua surtout le surprenant piercing curieusement placé sur la narine gauche de l'étonnant personnage. Le bijou incongru en forme de larme lui suggéra d'emblée une rhinite chronique et cette fantaisie contrastait violemment avec la rigueur des lieux. Le psychiatre n'eut aucun mal à évaluer la sexualité de l'individu assis sous le panneau « accueil » qui s'affairait à ranger des dossiers avec des gestes maniérés. À en juger par les traits adipeux et contractés de son petit front luisant, ce classement devait absorber toute son énergie intellectuelle. Les tempes rasées très hautes suggéraient un petit caniche gris sagement endormi sur son crâne.

Michel Lombard s'approcha de l'efféminé en toussotant pour signaler sa présence et plissa les yeux pour mieux lire le badge agrafé de travers sur le revers de sa blouse : Jocelyn Surane – secrétaire médical.

— Que puis-je faire pour vous ? demanda le fonctionnaire sans lever le nez de ses papiers.

Une note acrimonieuse s'entendit dans sa voix, comme s'il avait une pastille amère coincée dans la gorge.

— Je dois voir le docteur Flavière et je…

— Vous avez rendez-vous ?

— Non, mais je…

— Pas de rendez-vous, vous devez passer par les urgences. Ici, le docteur Flavière ne reçoit que sur rendez-vous ! coupa une nouvelle fois l'asexué.

— Attendez, laissez-moi vous expliquer : je suis un ami du docteur Flavière et je …

L'homme daigna enfin regarder son interlocuteur.

— Ami ou pas, si le rendez-vous n'est pas pris, vous devez passer par les UR-GEN-CES !

— Mais enfin voyons, c'est ridicule ! Je suis médecin et je viens voir mon ami pour une patiente que je lui ai adressée en consultation avant-hier. Il est au courant, je l'ai prévenu de ma visite il y a une heure au téléphone et c'est lui-même qui m'a demandé de venir maintenant.

— Ah ! Donc vous avez rendez-vous, soupira l'homosexuel en appuyant sur le bouton d'un pupitre posé sur la droite de son bureau, tout en ajustant son récepteur d'oreille.

— Gérard, j'ai en face de moi un de tes confrères qui a rendez-vous avec toi… Tu aurais pu me prévenir quand même, je ne l'ai pas sur mon cahier… Oui, d'accord, d'accord, tu as toujours raison… Bon, allez-y, monsieur, c'est en face, dit enfin l'homme trapu en désignant la direction d'un coup de menton.

En voyant pénétrer son ami dans son bureau, le docteur Flavière se leva et ouvrit les bras.

— Michel ! Quel plaisir de te revoir ! Combien de temps déjà ? Quatre ans ? Six ans ? Plus ?

Le docteur Lombard releva d'un doigt la monture rouge de ses lunettes et réajusta son nœud papillon. Ses tics nerveux revenaient chaque fois qu'il était embarrassé, agacé ou excité ; autant dire que dans ces circonstances ces gestes mécaniques ne pouvaient pas manquer.

— Dis donc, il est gratiné, ton secrétaire ! Pas aimable, et en plus il se permet de te tutoyer et de t'appeler par ton prénom ! Où l'as-tu déniché, celui-là ? Dans un zoo ?

— Presque ! Je l'ai rencontré au Moonlover, une boîte gay de Monaco. Je suis allé vers lui lorsqu'il a commandé son bourbon sans glace. Son accent toulousain m'a fait craquer. Ensuite, nous avons bavardé, nous avons bu et tu devines la suite.

— Tu préfères toujours les hommes mûrs, je vois, remarqua le docteur Lombard en faisant allusion à une ancienne liaison que le neurologue avait eue avec un professeur de médecine lorsqu'ils étaient étudiants.

— C'est vrai, sourit Gérard ; mais Jocelyn devient pesant. Sous prétexte qu'il a couché avec moi trois ou quatre fois, il se croit tout permis.

— Pesant, quel doux euphémisme ! En tout cas, si tu souhaites conserver une clientèle, tu as tout intérêt à le virer au plus tôt ! Depuis le temps, tu devrais pourtant savoir qu'il ne faut pas mélanger sexe et boulot !

Bien que psychiatre renommé, rompu aux différents troubles du comportement, Michel Lombard eût bien du mal à imaginer son ami dans les bras de cette créature répugnante. Gérard Flavière était un homme élégant, raffiné, svelte et sportif : exactement l'inverse de son présumé « compagnon de lit ».

— Enfin bref, assez parlé de ça ! reprit Michel en balayant l'air d'un revers de la main. Après tout, ça ne regarde que toi ! Dis-moi plutôt ce qu'a donné le résultat des examens de ma patiente. J'ai préféré venir te voir car au téléphone je n'ai rien compris. Qu'est-ce que tu comptes faire avec elle ?

— Ne bouge pas, je vais te montrer ! dit-il en fouillant dans l'un des tiroirs de son bureau.

— Tu sais, je suis resté très basique dans mes diagnostics et mes traitements. Je t'ai adressé cette femme pour une exploration de routine comme on le fait habituellement dans les locked-in syndromes, mais j'ignorais complètement qu'il y avait du nouveau sur cette pathologie. Quand on travaille comme moi en secteur libéral, on a la tête dans le guidon et on n'a plus le temps de rien, même plus le temps de lire ni d'assister aux EPU*, mais je compte sur toi pour me faire rattraper tout ce retard.

---

* EPU : Enseignement Post Universitaire

— Eh bien voilà, dit le docteur Flavière en disposant une série de clichés colorés sur le négatoscope*. Madame Duquesne m'intéresse beaucoup parce qu'elle rentre dans le cadre du nouveau protocole de soins du locked-in syndrome.

— Je t'écoute, dit Michel en scrutant les images qui se reflétaient sur le verre de ses lunettes.

— L'examen que tu as sous les yeux est actuellement ce qui se fait de mieux pour expliquer cette pathologie.

— C'est mieux qu'une angio* ou qu'un IRM* ?

— Cent fois mieux !

— C'est quoi ? demanda le docteur Lombard en haussant les sourcils.

— Une spectroscopie par résonance magnétique couplée à une imagerie de tenseur de diffusion.

— Désolé, mais pour moi, c'est du charabia !

— En fait, c'est très simple sur le principe. C'est comme si on avait modifié les réglages d'un appareil classique d'IRM. Le tenseur de diffusion permet de dresser une carte en trois dimensions de l'état des connexions nerveuses entre les différentes structures du cerveau en analysant le déplacement des molécules d'eau. Si les molécules circulent toutes dans le même sens, ça veut dire que les fibres nerveuses sont en bon état. À l'inverse, si elles vont dans toutes les directions, elles sont en souffrance. La spectroscopie permet d'obtenir une photographie précise du niveau d'activité des neurones en repérant des molécules spécifiques comme la N acetyl-aspartate*.

— Oui et alors ? interrogea Michel en se frottant le menton.

— Regarde ces zones noires, là là et là, dit fièrement Flavière en parcourant le contour des coupes transversales du cerveau avec la pointe de son stylo.

— Ce sont des zones qui ne fonctionnent plus ?

---

* Négatoscope : écran lumineux pour examiner les radiographies.
* Angio : angiographie, radiographie des vaisseaux après l'injection d'un liquide opaque aux rayons X.
* IRM : Imagerie par résonnance Magnétique, procédé qui permet d'obtenir des images radiologiques très précises.
* Ce procédé d'évaluation de l'activité cérébrale utilisant la Nacetyl-aspartate est en cours d'expérimentation en France.

— Exactement ! Et ces zones pathologiques apparaissent normales sur les IRM et sur les angiographies puisqu'elles sont vascularisées sans processus tumoral, ni lésions hémorragiques ou ischémiques. Tu sais comme moi que dans la plupart des locked-in syndromes tous ces examens reviennent normaux. Avec ce nouveau moyen d'investigation, on peut voir l'étendue des dégâts.

— C'est remarquable ! souligna Michel de plus en plus intéressé. Et lorsque ces sujets récupèrent sans séquelles apparentes, après un choc émotionnel par exemple ?

— Eh bien, alors, cet examen redevient normal, répondit Gérard avec gourmandise tout en alignant d'autres clichés. Désormais, on peut objectiver la guérison de la maladie.

Le docteur Lombard examina les nouvelles coupes : deux séries verticales se faisaient face.

— Avant et après, précisa Flavière en désignant les deux rangées parallèles. À gauche : le cerveau malade en locked-in syndrome, à droite : le cerveau guéri a recouvré sa fonction initiale. Sur les mêmes incidences, tu peux constater l'amélioration de la coloration cérébrale.

— Étonnant ! s'exclama Michel. Mais quel est le secret de cette guérison spectaculaire ?

Et là, soudain, durant un infime instant, le docteur Lombard entrevit ce qu'il y avait derrière le masque de son ami, derrière le front lisse, la chevelure blonde gélifiée, la peau parfaite et bronzée. Là, derrière la plus belle façade que l'argent des liftings puisse offrir, il surprit quelque chose de renversant : l'universitaire, l'éminent et respectable neurologue, pouvait avoir la mine d'un enfant gâté découvrant un nouveau joujou. Manifestement, Michel Lombard venait de poser la question essentielle, celle attendue depuis le début, celle qui pousserait à dévoiler le secret de la guérison spectaculaire des locked-in syndromes. Et là, oui, brusquement, il décela dans les yeux de Flavière une terrible suffisance, un orgueil inouï, une vanité sans faille.

— Le protocole LISYR ! lança-t-il enfin triomphalement.

— Le quoi ?

Instantanément, le gamin se métamorphosa en professeur avisé.

— LISYR – pour Locked-In SYndrome Reverse – est un protocole d'administration intraveineuse de Gallathium. Cette molécule révolutionnaire régénère le tissu neuronal à condition que celui-ci soit correctement vascularisé et ne soit pas atteint par un processus tumoral ou infectieux. Les résultats sont spectaculaires. Le médicament est déjà disponible aux États-Unis. C'est le laboratoire américain Sully qui le commercialise.

— Et en France il est encore à l'étude, je suppose ?

— L'Agence française du médicament n'a pas encore donné son AMM* car nous ne disposons que de trop faibles séries.

La porte s'ouvrit brusquement. Jocelyn Surane pénétra dans le bureau les bras encombrés d'une haute pile de dossiers.

— Voilà, Gérard, j'ai retrouvé tous les patients que tu m'as demandé. Je les mets où ? Pfft, quel bordel ici, j'te jure ! souffla-t-il en déposant son chargement sur la table d'examen.

— Merci, Joss. S'il te plaît, ne claque pas la…

VLAM !

— Trop tard, ironisa Michel. Il rentre toujours comme ça sans prévenir ?

— Oui, chaque fois que je me retrouve seul avec un homme. Il est terriblement jaloux.

— Avec moi, il ne risque rien, ricana Lombard en tirant une nouvelle fois sur son nœud papillon.

Le docteur Flavière ignora la remarque et fit comme si l'intempestive intrusion n'avait jamais existé.

— J'ai donc l'honneur de participer à l'étude du Gallathium. Lorsqu'un patient est susceptible de recevoir le traitement, je m'en occupe personnellement, avec l'accord de la famille, évidemment. Le protocole est très simple : trente jours de soins à raison de deux perfusions par semaine. On refait les radios à la fin du traitement et on compare. En général, les signes radiologiques devancent les signes cliniques. On ne constate l'amélioration des fonctions cérébrales que bien plus tard, mais la corrélation existe

---

* AMM : Autorisation de Mise sur le Marché.

toujours. Je renvoie le dossier complet de chaque malade à Sully en ayant soin de noter tous les effets secondaires éventuels.

— Lesquels ?

— Pour l'instant, je n'en ai noté aucun.

— Qui finance cette étude ?

— Le laboratoire Sully.

— Comme objectivité, on peut mieux faire, ironisa le docteur Lombard.

— Michel, voyons, je suis médecin, s'indigna Flavière en posant les mains sur son thorax comme pour mieux se mettre en valeur. Si je te dis que madame Duquesne doit pouvoir bénéficier de ce traitement, c'est qu'elle doit pouvoir bénéficier de ce traitement, c'est tout ! N'y vois là aucune malice ni aucun calcul !

— Effectivement, si en plus tu me dis qu'il n'y a aucun effet secondaire, je ne vois pas ce qui m'autoriserait à ne pas vouloir l'inclure dans ton étude. Écoute, je pense qu'il n'y aura aucun problème. J'en parle dès ce soir à son mari, c'est un confrère, et je te…

— Son mari est médecin ?

— Oui, je t'en avais déjà parlé au téléphone. Il est anesthésiste. Il était en fac avec nous.

— Ah oui ? Bon, peut-être. Je n'avais pas relevé ce détail, commenta Flavière visiblement contrarié.

— Ça te gêne.

— Non, absolument pas.

— Tant mieux. Tu verras, c'est quelqu'un de très sympathique. En plus d'être un excellent médecin, c'est l'un de mes meilleurs amis. Depuis qu'il a perdu son fils dans un accident de moto, nous sommes très proches. Je suis certain qu'il sera très favorable à ce que tu prennes sa femme en charge car il a presque perdu tout espoir de guérison.

— Parfait, parfait, répéta Flavière en se frottant les mains.

— Quand veux-tu que je te l'adresse en hospitalisation ?

Le docteur Flavière consulta rapidement son agenda surchargé d'écritures minuscules.

— Disons jeudi prochain dans la matinée ?

— Va pour jeudi !

11

« Non, non et non, hors de question que ma femme serve de cobaye ! » hurla, excédé, le docteur Duquesne dans le téléphone avant de raccrocher violemment.

Dans les interstices de ses maigres projets s'était glissée la proposition de son ami Michel Lombard, qui émanait elle-même du souhait d'un personnage que Roland vomissait, à savoir le docteur Gérard Flavière. Déjà à la fac, Flavière l'horripilait avec ses fausses manières et ses façons sournoises. « Confier ma femme à cette tantouze, jamais, tu m'entends, jamais ! » avait-il décrété lorsque Michel l'avait appelé une première fois en revenant du CHU pour essayer de le convaincre. Malgré son refus, il insistait. Aujourd'hui encore avec ce nouveau coup de fil. Mais rien à faire, Duquesne ne céderait pas. Il n'avait qu'un désir : sortir sa femme de l'impasse, la libérer de sa prison, l'isoler de cette ambiance de fou dans laquelle elle était plongée depuis cette horrible déchirure, cette terrible déflagration. Il voulait l'emmener loin. Loin de tout ça. Fuir. Tout oublier pour pouvoir recommencer. Comme avant ! Il voulait la guérir, la réanimer, la réveiller, l'éloigner de cet effroyable cauchemar qui la tuait à petit feu. Et, pour ce faire, il ne voyait pour l'instant qu'une seule solution : partir avec elle au bord de la mer. Peut-être que tout près des embruns maritimes l'espoir renaîtrait enfin. Il se remémorait les balades nocturnes sur la plage de Collioure lorsque l'écume des vagues sombres cernait leurs marches silencieuses. Complices, ils avançaient sans rien dire. Inutile de parler. La Méditerranée les baguait de sève noire et de larmes d'amour.

Elle adorait la mer.

Le docteur Duquesne laissa s'éteindre son cigarillo à moitié consumé dans le gros cendrier posé sur le bureau et souffla au plafond la dernière volute de fumée. Il faisait toujours ça lorsqu'il venait de décider quelque chose d'important. Maintenant il savait ce qu'il fallait faire et il avait un plan.

Demain matin, il irait chercher Marlène. Il ferait comme s'il venait lui rendre une petite visite et repartirait avec elle sans être vu. Et, si nécessaire, il improviserait en disant que le docteur Lombard est au courant ou quelque chose dans ce genre. De toute façon, là-bas, personne n'oserait l'empêcher d'agir, car son statut de médecin et son intimité avec le chef de service de psychiatrie l'autorisaient à prendre certaines initiatives : la patiente était sa propre épouse.

12

« Il faut que l'on se voie rapidement, on a un sérieux problème », avait dit nerveusement Didier Durcan à son patron avant de raccrocher. Il ne jugea pas utile de fixer le lieu du rendez-vous car c'était toujours le même, du moins dans les cas d'extrême urgence comme ce jour-là. La petite impasse déserte située au-dessous de l'un des plus vieux ponts de Toulouse était l'endroit idéal pour les rencontres secrètes des deux hommes.

Arrivé sur place, le docteur Flavière rangea sa Porsche en bordure du fleuve derrière un grand pilier de briques roses et coupa le contact. Sa montre Rolex affichait 16 h 30. Il jeta un bref coup d'œil circulaire : personne. Le neurologue savait qu'il n'aurait pas très longtemps à attendre car il connaissait la ponctualité et la rigueur de Durcan. Il se demandait quelle devait être cette excellente raison qui avait poussé l'infirmier à le déranger au beau milieu de sa consultation, et surtout quelle était la nature du « sérieux problème ».

Le jeune Durcan appartenait au réseau très fermé des soignants qui travaillaient dans des unités psychiatriques et qui avaient été minutieusement sélectionnés par Flavière pour effectuer de « bons et loyaux services » moyennant une confortable rétribution. En fait, pour Gérard Flavière, cette élite représentait l'élément déterminant du protocole LISYR. Sans ce groupuscule d'infirmiers, d'aides-soignants, et même de quelques étudiants en médecine peu scrupuleux, le médecin avait bien conscience qu'il n'aurait jamais été capable de fournir au laboratoire Sully une aussi grande série de cas répondant favorablement au traitement par le Gallathium. D'après l'étude qu'il faisait, presque tous les sujets étudiés avaient un rapport bénéfice-risque qui incitait à utiliser le produit miracle à chaque diagnostic de looked-in syndrome. Et pour l'expert en neuroscience qu'était devenu Flavière, la récompense était à la mesure de ses ambitions : Sully déposait 30 000 euros sur un compte bancaire andorran pour chaque dossier validé. Le calcul des Américains était simple : l'introduction du médicament en France, pays célèbre pour sa sévérité en matière d'AMM, permettrait de conquérir facilement le marché européen et de récupérer largement les sommes investies. Le patient répondant aux critères devait satisfaire à plusieurs impératifs : être suffisamment jeune (moins de cinquante-cinq ans pour un homme, soixante-cinq ans pour une femme), ne pas être atteint d'une pathologie cérébrale vasculaire ou tumorale, ni d'une maladie intercurrente comme le diabète ou dégénérative comme l'Alzheimer, et enfin et surtout avoir été déclaré guéri du looked-in syndrome après examen psychiatrique avec preuve radiologique à l'appui à l'issu des trente jours de traitement au Gallathium, sans avoir connu le moindre effet secondaire délétère. Pour le suivi radiologique, pas de problème. Flavière se débrouillait par l'intermédiaire de son secrétaire Jocelyn, qui substituait des clichés pathologiques aux documents initiaux par un simple jeu d'étiquettes informatisées. Les signes cliniques de la maladie étaient provoqués par l'administration intraveineuse quotidienne d'un neuroleptique puissant : le Mandragol, qui, à forte dose, reproduisait parfaitement la symptomatologie du looked-in syndrome. Ces injections se faisaient toujours par de petites mains complices, à l'insu du médecin responsable du malade. Didier Durcan, à la botte de Flavière, participait activement à ce programme dans le service du docteur Michel Lombard qui était à cent lieues de se douter de cette machination.

16 h 40, Flavière s'impatientait. Il sortit de sa voiture et marcha le long des berges de la Garonne pour se détendre un peu. Le vert profond de l'eau renvoyait des éclats métalliques en dessinant sous l'arche une voûte d'insectes clignotants tandis que le clapotis des vaguelettes résonnait comme des billes de plastique s'écoulant dans un sablier géant. Et s'il ne venait pas ? se demanda-t-il. Son angoisse montait.

Il regarda sa montre : 16 h 45. Toujours personne. Alors, presque résigné, il remonta dans son bolide en soupirant. Juste avant de démarrer, il aperçut une image familière dans son rétroviseur extérieur. Il reconnut tout de suite le scooter bleu marine et le blouson mauve. Cette vision tant espérée le fit bondir à l'extérieur comme un diable à ressort éjecté d'une boîte à malice.

— Alors, qu'est-ce que tu foutais ? Je suis là depuis une demi-heure !

— C'est pas ma faute, il y avait un accident sur la rocade, dit Durcan en enlevant son casque.

Le docteur Flavière remarqua la pâleur et la mine fatiguée de l'infirmier.

— Je t'écoute. Qu'as-tu de si important à me dire ?

— Madame Duquesne !

— Oui, eh bien ?

— Elle s'est échappée !

— Quoi ?

— Son mari est venu la chercher et ils se sont enfuis tous les deux.

— Enfuis ? Mais où ça ? Où ? demanda Flavière en levant les bras au ciel.

— On n'en sait rien ! La standardiste pense qu'ils sont partis à la mer.

— À la mer ?

71

— « Je t'emmène à la mer », c'est ce qu'a dit Duquesne à sa femme en passant devant la standardiste. Il est parti avec elle sans même prendre le temps de rassembler ses affaires.

— C'est pas vrai ! soupira le neurologue en s'éloignant de Durcan pour chercher son inspiration.

Il lui tourna le dos en croisant les bras. L'infirmier faisait rouler son casque entre ses mains pour se donner une contenance. Au bout de quelques secondes de silence, Flavière fonça vers Durcan.

— Et maintenant, qu'est-ce que je fais, moi, hein ? Comment je vais faire pour retrouver cette femme ? Si on ne la retrouve pas, c'est la catastrophe ! Un sevrage brutal de neuroleptiques provoque un comportement d'hyperagressivité avec un risque suicidaire majeur, tu le sais, ça ? Bordel de Dieu, en plus son mari est médecin…

— On peut le contacter, peut-être qu'il comprendra ?

— Qu'il comprendra quoi ? Qu'on a drogué sa femme ? Qu'il faut absolument qu'elle reçoive sa dose pour ne pas qu'elle se flingue ? C'est ça, qu'on lui dit ? Bon, procédons par ordre, reprenons notre sang-froid : qui est au courant ? demanda Flavière en joignant ses mains comme s'il essayait de retrouver sa concentration en priant.

— Personne pour l'instant, à part nous et la standardiste bien sûr.

— Bon, OK. À quelle heure Lombard fait-il sa visite ?

— Euh… maintenant, dit Durcan en consultant sa montre.

La sonnerie du portable de Flavière interrompit la conversation.

— Ah, salut vieux… dit le neurologue en s'éloignant de nouveau pour que la communication restât confidentielle.

Après quelques mouvements d'épaules nerveux, il revint vers l'infirmier l'air rasséréné.

— Je crois qu'on a une petite chance de les retrouver. Lombard vient de me dire que les Duquesne ont un appartement à Collioure. Il pense qu'ils sont partis là-bas. De toute façon,

Duquesne ne prendrait pas le risque de monter dans un avion ni d'aller à l'hôtel. Avec une femme qui ressemble à un zombie, il aurait vite fait de se faire repérer.

— Qu'est-ce que vous allez faire ?

— Je vais chercher quelques doses de Mandragol à la clinique et je file à Collioure. Lombard m'a donné l'adresse.

— Il ne s'est pas étonné que vous partiez les rejoindre ?

— Si, bien sûr, mais il n'est pas inquiet. Il pense que madame Duquesne n'est pas en danger de mort ; elle est seulement en looked-in syndrome et son mari médecin la surveille en essayant de la dépayser un peu. Entre parenthèses, j'espère qu'il ne la quittera pas des yeux : sans sa dose, elle peut faire n'importe quelle connerie ! J'ai dit à Lombard que je devais aller dans le coin pour affaire et que j'en profiterais pour prendre de leurs nouvelles. De toute façon, ils sont injoignables. Duquesne a mis tous ses téléphones sur messagerie.

Durcan regarda Flavière démarrer en trombe et grimaça un sourire de satisfaction. Le docteur Flavière est un sacré bonhomme qui trouve toujours la bonne solution à n'importe quel problème. Un jour je serai comme lui, pensa-t-il en remettant son casque.

---

* Mandragol : neuroleptique puissant employé pour la sédation de certaines psychoses.

13

Roland Duquesne roulait à vive allure sur l'autoroute A61 tandis que Marlène, assoupie sur son épaule, laissait échapper de sa bouche entrouverte un léger ronflement. Il la regarda avec tendresse et la repoussa doucement sur l'appuie-tête. Un bonheur sourd faisait battre son cœur, mais il craignit soudain de ne plus jamais voir son seul amour s'éveiller. Un étrange pressentiment. Une angoisse profonde qui raviva le souvenir de la disparition de leur fils.

Elle se frotta les yeux, bâilla et se rendormit aussitôt en s'appuyant sur la vitre latérale.

Avant de partir pour Collioure, Roland était repassé dans leur maison récupérer quelques affaires pour sa femme partie précipitamment en chemise de nuit. Une fois chez eux, madame Duquesne s'était allongée sur le canapé du salon pour sombrer dans un sommeil profond de quatre heures. Son mari avait eu un mal fou à la réveiller avant de la hisser péniblement dans le 4 x 4. Et malgré ce repos, elle dormait toujours. Si tout se passait comme prévu, il avait calculé qu'ils seraient dans leur appartement du bord de mer dans une paire d'heures. Le docteur Duquesne ignorait que son épouse était en danger de mort et il attribuait cet état léthargique à sa maladie. Il était à cent lieues de se douter que l'infirmier Durcan administrait du Mandragol à sa femme à l'insu de Lombard pour reproduire la symptomatologie du looked-in syndrom. Il ignorait aussi qu'un sevrage brutal de cette drogue provoquait de violents états de manque avec des désirs impérieux de mourir et que les signes prémonitoires de ces envies suicidaires étaient précisément l'hypersomnie*.

La concentration sanguine en Mandragol de Marlène chutait de minute en minute et, à moins d'une injection immédiate du neuroleptique, les choses allaient se compliquer rapidement. D'ailleurs, son sommeil excessif prouvait qu'elle avait déjà atteint le stade précurseur du « passage à l'acte » ou de « l'autolyse » – comme disent pudiquement certains médecins pour éviter de prononcer le mot « suicide » –, si bien que, dès son réveil, on pouvait s'attendre au pire.

Roland jeta un coup d'œil au voyant de sa jauge d'essence qui venait de s'allumer et décida de s'arrêter à la prochaine aire de service pour faire le plein et boire un café.

« Aire des Deux Mers, parfait », murmura-t-il quinze minutes plus tard en s'engageant dans la bretelle d'accès. De courtes files d'attente stationnaient devant les pompes et Duquesne se rangea derrière un break Mercedes maculé de taches de rouille. Le propriétaire du véhicule, un vieux moustachu à la silhouette osseuse, essuyait consciencieusement la dernière goutte du bec verseur avec un mouchoir à carreaux usagé. Le macaron « GB » auréolé d'étoiles qui décorait la plaque d'immatriculation s'accordait parfaitement avec le short trop large et les chaussettes remontées jusqu'aux genoux. L'Anglais reboucha précaution-neusement son réservoir et partit en claudiquant vers la caisse enregistreuse. « Mais bon sang, tu pourrais au moins pousser ta guimbarde avant d'aller payer ! » pesta Roland en klaxonnant. Mais le bonhomme, probablement sourdingue, ne se retourna même pas et continua sa route. La passagère de la Mercedes, absorbée par la lecture d'un magazine, ne semblait pas prêter attention à tout ce remue-ménage, si bien qu'elle détourna tout juste le regard lorsque Roland arriva vers elle en tapotant ses

---

* Hypersomnie : exagération de l'aptitude au sommeil.

doigts sur la carrosserie. Il lui sourit et inclina la tête en faisant un petit moulinet avec la main. L'octogénaire peinturlurée baissa la glace à grand coup d'épaule arthrosique. La manœuvre paraissait difficile et cela faisait peine à voir. Tout est grippé là-dedans, pensa Roland sans savoir si la difficulté de la manœuvre incombait aux articulations de la dame ou aux rouages usagés du mécanisme qui actionnait la vitre.

— What happens ? dit-elle enfin en grimaçant.

— Pouvez-vous s'il vous plaît avancer un peu votre voiture pour que je puisse me servir en essence ?

— Oooh ! sorry, je ne sow pas conduite, mais you piouvé l'avance, le clé is here, dit-elle en désignant le contact d'un doigt déformé.

— Merci, dit Roland en ouvrant la porte droite de la Mercedes.

Après s'être installé aux commandes, il marmonna quelque chose d'incompréhensible contre « ces sacrés Britishs qui faisaient tout à l'envers » et avança le tacot pour l'immobiliser dix mètres plus loin. L'opération ne fut pas facile car Roland n'avait pas l'habitude des boîtes automatiques, et la confusion entre la pédale de frein et celle de l'embrayage déclencha quelques « Oh, my God ! » de protestation.

— Voilà, merci pour votre compréhension, ironisa Roland en coupant le contact.

Mais au lieu de se calmer, la lady hurla de plus belle :

— Oh, my God !!! My Gooooood !!!!

— Quoi encore ? dit-il en montrant ses mains pour prouver qu'il ne touchait plus rien.

— Look at this ! It's incredible ! s'exclama-t-elle en désignant un véhicule qui s'engageait à contresens sur l'autoroute.

En effet, de l'endroit où ils se trouvaient, ils pouvaient nettement distinguer les mains crispées du chauffard qui roulait dans la mauvaise direction. Le profil du 4 x 4 fou était presque à leur hauteur et seul un dévers gazonneux de quelques dizaines de mètres les séparait de cet inconscient qui allait tout droit vers la mort, vers l'effroyable choc frontal. De cette inconsciente, plutôt, car on pouvait maintenant voir le visage de la conductrice. Un visage que Roland connaissaient bien : Marlène était au volant de son 4 x 4 !

Dans quelques secondes ou dans quelques minutes, à moins d'un miracle et en toute logique, la psychopathe allait périr encastrée dans un amas de ferraille.

Le docteur Duquesne prit sa décision sans délai et redémarra le break. Pour lui, hors de question de rester sans rien faire. Agir. Il fallait agir, et le plus vite possible. Comme dans son métier : agir en choisissant la meilleure option pour les malades. De façon générale, en situation d'urgence, il s'était toujours laissé guider par ses intuitions, et jusqu'à présent cette stratégie ne lui avait pas trop mal réussi.

— Que faites you ? Pas assez avance pour leussans ?

— Accrochez-vous, mamie, il va y avoir du sport !

Après un départ chaotique, la Mercedes se lança à la poursuite du 4 x 4 en débordant largement sur la partie herbeuse de l'aire de repos. Le pot d'échappement du vieux break cracha une fumée noire en s'éloignant et une sirène d'alerte actionnée par un pompiste retentit dans toute la station-service.

L'Anglaise cacha ses yeux de ses mains noueuses tandis que sur le tarmac un vieil homme au short trop large leva les bras au ciel.

14

Le domestique précéda Maurice Burce dans l'escalier et le fit entrer dans une vaste salle dont les murs étaient tendus de tapisseries flamandes aux couleurs flamboyantes. Les hautes fenêtres donnaient sur un grand parc arboré où un jardinier ratissait les premières feuilles mortes.

— Veuillez patienter ici, s'il vous plaît, maître Raudive est à vous dans quelques minutes, dit l'homme dégarni au visage de cire.

Puis le majordome vêtu de gris fit un petit salut raide de la tête et sortit en laissant l'invité de Raudive seul au milieu de ses pensées. Burce poussa un soupir de profonde perplexité car il n'avait pas la moindre idée de ce que le médium attendait de lui. Tous ces évènements lui semblaient tellement incompréhensibles. Étrangement, il n'éprouvait plus la douleur aiguë de la perte de son fils. Il avait dépassé ce stade dès l'instant où, par-delà la mort, il était parvenu à communiquer avec lui. En fait, lorsque Stéphane avait été déclaré disparu dans ce stupide accident de montagne, le proviseur du lycée Saint-Sernin n'avait plus qu'une seule certitude : celle de vivre dans un univers qui n'obéissait plus à aucune loi. Ce jour-là, toutes ses convictions, qui faisaient de lui un homme pragmatique et plein de principes, s'étaient évaporées en le laissant devenir la proie de multiples questions qui le harcelaient sans cesse. Son existence n'était plus qu'une succession de mystères et d'interrogations. Pourquoi Raudive tenait-il absolument à le rencontrer aujourd'hui ? Qu'avait-il à lui dire de si particulier ? Pourquoi ne pas avoir voulu lui parler au téléphone et l'avoir contraint à faire les cent cinquante kilomètres qui le séparaient de cette tour du XIIe siècle située au fin fond de la campagne ? Pourquoi le médium se manifestait-il avec autant d'empressement alors qu'il était resté sourd aux multiples demandes d'un père qui le suppliait en vain d'obtenir de nouveaux enregistrements de son fils décédé ? Et, d'ailleurs, pourquoi Raudive prétendait-il ne plus pouvoir recevoir de messages de l'au-delà depuis plusieurs semaines ? Était-ce la faute du médium, qui, bien que fortement rémunéré pour la livraison de chaque cassette, ne se montrait guère enthousiaste à poursuivre l'expérience, ou bien celle de Stéphane, qui, depuis l'astral, dans une autre dimension cosmique, était dans l'impossibilité de pouvoir communiquer avec le monde des vivants ? Communiquer avec l'au-delà, quelle stupidité, avait-il pensé avant que tout cela n'arrive. Maurice Burce se remémorait sa première rencontre avec Raudive. Le géant aux yeux d'acier l'avait abordé en pleine rue alors qu'il était encore sous le choc de la terrible nouvelle. Au beau milieu du vacarme de la circulation et de la bousculade des passants, il lui avait dit : « Je m'appelle William Raudive, je suis médium, j'ai eu un message de Stéphane, qui est en survivance », puis, sans attendre sa réaction, il lui avait plaqué le petit boîtier d'un magnétophone sur l'oreille. Et là, miracle ! Dans l'appareil : la voix de Stéphane. La voix et les intonations de Stef ! Pas de doute, c'était bien lui. « Ne t'inquiète pas, p'tit père, je vais bien. » Qui aurait pu savoir qu'il l'appelait ainsi dans leurs trop brefs moments de complicité ? Qui ? Sûrement pas un étranger et encore moins une brute au regard perçant ! Car Burce considérait maintenant Raudive comme une grosse brute vénale incapable d'avoir le moindre sentiment d'empathie. Pas au début, lors de cette première rencontre où il l'avait suivi dans un café à l'ambiance glauque pour l'écouter parler de transcommunication instrumentale et convenir d'un premier rendez-vous dans la tour, mais plus tard, bien plus tard, lorsque leur relation s'était dégradée pour des raisons financières. En fait, tout était allé très vite. À chaque nouvel enregistrement, Raudive téléphonait à Burce, qui venait ensuite chez lui récupérer la cassette moyennant la somme de 2 000 euros. Et 2 000 euros pour dix minutes de plaisir, pour savoir que Stef était heureux de l'autre côté, ce n'était rien ! Du moins, c'était comme ça que Maurice Burce avait perçu à l'époque cet « échange de service ». Et puis, il s'était dit que c'était pour la bonne cause car le médium devait réinvestir l'argent dans un vaste projet de recherche sur la transcommunication, et si un jour son ambition devait se réaliser, on pourrait de façon tout à fait banale communiquer avec n'importe quel trépassé. Dans ce cas, la mort ne serait plus considérée comme une perte définitive, mais plutôt comme un passage obligé vers une autre dimension où le contact est encore possible. Mais tout cela nécessitait de gros sacrifices et Maurice Burce avait adhéré à cette thèse. Combien avait-il déjà donné pour l'achat de ces cassettes : 100 000 euros, 200 000 euros ? Plus ? Il ne savait pas. Il ne comptait plus. Son banquier lui avait dit qu'il ne pourrait plus payer ses prochaines échéances. La vente de son seul bien – une maison en pierre héritée de sa grand-mère – avait servi à payer les derniers enregistrements. Sa situation financière était au plus mal et Raudive le savait.

Soudain, la porte s'ouvrit. — Veuillez me suivre, s'il vous plaît, le Maître va vous recevoir, lança l'homme en gris sans adresser un seul regard à celui qui attendait depuis une bonne demi-heure.

Maurice Burce émit un soupir de soulagement et emboîta le pas de son guide. Il connaissait par cœur le trajet : les marches de granit déprimées en leur centre par l'usure des pas, la grande porte en bois de la bibliothèque qui s'ouvrait dans un grincement lugubre, le tapis de laine rouge sang et l'énorme fauteuil de cuir fauve sur lequel trônait la silhouette ramassée de William Raudive accoudé sur un large bureau en marbre noir zébré de blanc.

Burce marchait derrière le sinistre individu qui jetait d'incessants coups d'œil par-dessus son épaule comme s'il craignait le départ précipité de quelqu'un qui avait finalement renoncé à le suivre. Ce protocole soigneusement orchestré était immuable, comme l'était la façon qu'employa Raudive pour l'accueillir.

— Que la grâce de Dieu soit avec vous, dit-il sans se lever.

Puis il joignit les mains et inclina le buste en signe de bienvenue. Comme à son habitude, Burce prit place sur l'un des trois fauteuils crapaud disposés en arrondi autour de l'immense cheminée vide. Raudive se leva et vint s'asseoir à ses côtés.

— Pourquoi m'avoir fait venir ? demanda Burce, le regard fixé sur un invisible feu qui aurait animé l'âtre.

— Pour ceci ! répondit le médium en montrant un magnétophone posé sur une table basse.

Une lueur d'espoir alluma le regard de Burce.

— Stéphane a rétabli le contact ?

— Oui et non, dit Raudive l'air gourmand.

— Comment ça, oui et non ? Arrêtez de jouer avec mes nerfs, merde ! Répondez !

Burce fixa son interlocuteur, songea à lui bondir dessus pour l'étrangler, puis se ravisa. Raudive orienta sa paume vers le sol pour calmer le jeu mais aussi pour montrer qu'il restait maître de la situation.

— Oui, parce que j'ai eu des nouvelles de Stéphane, non, parce que ce n'est pas lui qui me les a données, précisa-t-il en haussant un sourcil.

— Je suis prêt à acheter un autre enregistrement à la seule condition d'entendre mon fils.

— Désolé, impossible pour le moment !

— Dans ce cas je répète ma question : pourquoi m'avez-vous fait venir jusqu'ici ?

Le médium se souleva de quelques centimètres pour appuyer sur une touche du magnétophone.

— Écoutez ceci, ça vaut mieux qu'un long discours, dit-il en fermant les yeux comme s'il devait se recueillir devant un chant sacré.

(Raudive) — Stéphane ? Êtes-vous là, Stéphane ?

(La voix) — *Pchchchchalexjsuisalexchchchchchch...*

(Raudive) — Alex ? C'est ça : Alex ? Qui est Alex ?

(La voix) — *Pchchchchunamidestéfanechchchchch...*

(Raudive) — Pourrais-je parler à Stéphane ? Peut-il nous dire quelque chose ?

(La voix) — *Pchchchchchpapossibchchchchchch...*

(Raudive) — Pas possible ? C'est ça : pas possible ?

(La voix) — *Pchchchchchchpapossibleuchchchchc...*

(Raudive) — C'est Alex qui me parle n'est-ce pas ?

(La voix) — *Pchchchchchchalexparleuchchchchc...*

(Raudive) — Alex, est-ce que Stéphane est bien dans l'au-delà ?

(La voix) — *Pchchchchchstéfanébienchchchstéfanébienchchch....*

(Raudive) — Alex, que fait Stéphane ? Son papa souhaite avoir de ses nouvelles.

(La voix) — *Pchchchchchchilacueilchchchlétrépasséchchchch...*

(Raudive) — Oui, Alex, nous savons ça. Stéphane accueille les trépassés. Il nous l'a déjà dit lors d'un précédent contact, mais que fait-il maintenant ?

(La voix) — *Pchchchchchstéfanébienchchchchch...*

(Raudive) — Alex, pouvez-vous nous dire s'il vous plaît ce que fait Stéphane maintenant ?

(La voix) — *Pchchchchnochchchchchcnochchchchch...*

(Raudive) — Non ? Pourquoi non ?

(La voix) — *Pchchchchchchchchchchchchch...*

(Raudive) — Alex, vous êtes encore là ? Alex, répondez s'il vous plaît !

(La voix) — *Pchchchchchchchchchchchchchchchchchch...*

83

Le médium interrompit le défilement de la bande.

— C'est le premier enregistrement d'Alex dont je vous avais déjà parlé au téléphone. Je tenais à vous le faire écouter dans son intégralité. Le premier, mais aussi le dernier. Maintenant le contact est rompu.

— Vous avez eu d'autres voix ?

— Oui, d'autres entités car je travaille aussi pour d'autres personnes. Mais la seule chance d'avoir des nouvelles de Stéphane passe désormais par l'intermédiaire d'Alex.

— Qu'est-ce qui vous fait dire ça ?

— Mes guides spirituels me l'ont dit, et en plus Alex a été clair dans ce premier contact, non ? Vous avez pu l'entendre aussi bien que moi.

— Oui, et alors, qu'est-ce que je peux faire à mon niveau ?

— Convaincre ses parents à participer au contact.

— Totalement impossible, dit Burce en hochant la tête. Le docteur Duquesne est complètement en dehors de tout ça, et en ce qui concerne la mère c'est encore pire : elle est hospitalisée en psychiatrie et n'est pas prête d'en sortir.

— Écoutez-moi, monsieur Burce, voulez-vous oui ou non pouvoir rétablir un contact avec votre fils ?

— Oui, bien sûr, mais…

— Bon, dans ce cas je ne vois qu'une seule solution : convaincre le père d'Alexandre pour qu'il participe à mes expériences.

— Mais comment ? J'ai déjà essayé plusieurs fois et il m'envoie sur les roses !

— Essayez encore, mais d'une autre façon.

— Je veux bien, dites-moi comment !

— Faites-lui écouter cette bande, dit Raudive en pointant son index vers la table de salon.

— Celle que nous venons d'entendre ?

— Oui, précisément.

— Mais pourquoi ne lui portez-vous pas vous-même ?

— J'ai à peine réussi à glisser ma carte avec mes coordonnées dans l'entrebâillement de la porte qu'il m'a aussitôt refermée au nez !

— Et vous pensez que je peux faire mieux que vous ?

— Certainement. Vous avez l'avantage d'être dans la même situation que lui. Il a perdu un fils, vous aussi. Vous verrez, il finira par accepter. De toute manière il n'a absolument rien à perdre à essayer d'établir un contact.

— Non, à part beaucoup d'argent, ironisa Burce.

— Ne soyez pas vulgaire, répondit Raudive avec une moue d'écœurement.

Maurice Burce se leva brusquement. Il saisit le magnétophone et lança à Raudive un regard de mépris.

— Inutile de me faire raccompagner, je connais le chemin.

15

La Porsche de Flavière fonçait vers Collioure. Sur les cinquante premiers kilomètres d'autoroute, le neurologue n'avait ralenti que trois fois, alerté par le signal sonore de son GPS qui détectait la position des radars automatiques. Pourtant, deux choses l'intriguaient et le poussaient maintenant à lever le pied : le nombre croissant de voitures immobilisées sur la bande d'arrêt d'urgence et les appels de phares incessants des conducteurs qu'il croisait. Pour en savoir plus, il appuya sur la touche FM du tableau de bord et se brancha sur Radio Trafic. La réponse à ses inquiétudes ne se fit pas attendre.

« ... et nous rappelons donc cette information prioritaire : tous les automobilistes voyageant sur l'autoroute A 61 dans la direction Toulouse-Espagne doivent impérativement stopper leur véhicule sur la bande d'arrêt d'urgence et allumer leurs feux de détresse. Un break Mercedes blanc et un 4 x 4 Toyota bleu métallisé roulent à contresens à hauteur de la sortie est de Carcassonne. Ils n'ont pas encore pu être interceptés par les forces de police et ont déjà provoqué plusieurs carambolages en amont de leur position actuelle. Les automobilistes devant emprunter cette portion d'autoroute doivent s'armer de patience, car pour des raisons évidentes de sécurité toutes les bretelles d'accès à cette zone sont pour le moment fermées. Un itinéraire bis est en cours de réalisation. Your attention please... »

Flavière obéit aux consignes en maudissant ce nouveau coup du sort qui allait le retarder. Le temps était compté car il savait que sans une injection rapide de Mandragol Marlène Duquesne éprouverait un syndrome de manque qui la mettrait en danger de mort. Il enclencha son warning et se rangea sagement entre un camping-car et une grosse berline allemande qui tractait un jet-ski. Sa manœuvre terminée, les informations arrivèrent à nouveau en français.

« *Une fois stationnés, il vous faudra couper le contact et sortir par le côté droit de votre véhicule pour rejoindre la limite grillagée de l'aire d'autoroute. Nous apprenons à l'instant que le 4 x 4 est déjà entré en collision avec quatre véhicules arrêtés sur la bande d'arrêt d'urgence et qu'il y aurait de nombreux blessés. Donc, je répète : ne restez pas à l'intérieur de votre voiture, mais rejoignez la limite grillagée bordant la partie droite de l'aire autoroutière. Your attention please...*»

« Putain, c'est pas vrai, ça, merde ! » souffla Flavière en tapant violemment le poing sur le volant pour mieux extérioriser sa colère. Après avoir essayé de maîtriser ses nerfs en serrant les dents et en fermant les yeux pendant une poignée de secondes, il saisit rageusement le sac de voyage posé sur la banquette arrière, tourna la clé de contact et sortit par la droite. Il venait d'actionner l'alarme antivol lorsque l'homme au camping-car l'interpella pour lui demander de l'aide afin de franchir la barrière de sécurité. L'octogénaire avait déposé sa béquille contre le garde-fou et sa jambe paralysée n'arrivait pas à s'élever au-dessus de l'obstacle. Flavière ne se laissa pas attendrir par cette scène pitoyable. Le neurologue jeta un regard de mépris en direction du vieillard infirme. Il ne se souciait guère de ce genre de choses, et à vrai dire il se faisait plus de souci pour l'avenir de sa Porsche qui risquait d'être percutée que pour celui de cet individu qui avait l'audace de le solliciter. Flavière haussa les épaules, sauta la balustrade métallique avec la souplesse d'un félin et dévala le talus d'herbes hautes pour rejoindre les personnes réfugiées le long du grillage. Il reprenait progressivement son souffle lorsque son portable sonna.

— Salut, c'est Lombard. La police vient de m'appeler à l'instant. Ce n'est pas la peine que tu rendes visite aux Duquesne à Collioure. Figure-toi qu'ils ont pété les plombs tous les deux. C'est à peine croyable : lui a volé une voiture dans une station-service et roule à contresens sur l'autoroute et sa femme le suit pour essayer de le rattraper ! »

*

Les passagers du minibus étaient sous le choc et des cris de panique envahissaient l'habitacle. En un éclair, ils avaient vu arriver la calandre chromée du Toyota comme la gueule ouverte d'un squale fonçant sur une proie, et le poisson pilote était une Mercedes blanche qui klaxonnait pour annoncer le danger. L'énorme déflagration leur avait fait l'effet d'une bombe. D'un seul coup, tout avait volé en éclats et un énorme trou cerclé de tôles acérées remplaçait maintenant la partie gauche du vieux car. Un grand-père hébété, hypnotisé par un bras arraché qui gisait à ses pieds, gémissait en répétant : « Mais pourquoi ça, mon Dieu, pourquoi ? » Sa compagne muette hochait la tête comme un robot détraqué. Elle avait du sang sur son chemisier et des débris de verre plein les cheveux. Plus loin, un enfant coincé sous son siège déformé par l'impact appelait sa mère sans obtenir de réponse.

Avant de perdre connaissance, le chauffeur du bus leva les yeux au ciel car il crut percevoir un souffle divin qui l'aspirait. Il n'avait plus son bras gauche et un jet de sang pulsé émergeait au niveau de l'épaule.

Au-dessus de ce carnage, l'hélicoptère du SAMU qui venait de repérer la DZ* matérialisée par la gendarmerie stabilisait son assiette avant d'amorcer la descente.

*

---

* DZ : Dropping-Zone, surface destinée à l'atterissage des hélicoptères.

Marlène voulait détruire, casser, brûler, tuer. Eux d'abord et elle ensuite. Eux, c'est-à-dire tous ces abrutis qui s'étaient garés sur le côté de l'autoroute pour la regarder passer, mais aussi lui. Surtout lui. Celui qui était maintenant devant elle et qui avait osé la doubler par la droite ; le chauffeur de la Mercedes blanche. Ce salaud ! Elle aurait la peau de cette ordure, c'était sûr. D'ailleurs son 4 x 4 était plus puissant que sa guimbarde et elle le rattrapait. Bientôt, elle serait sur lui et défoncerait sa misérable carrosserie rouillée en lui roulant dessus. Au passage, elle en profiterait pour cogner les voitures arrêtées, parce qu'elles étaient toutes complices, les voitures arrêtées ; elles voulaient qu'il gagne et qu'elle perde la partie. Et si jamais ce devait être elle la gagnante, alors elles ne seraient pas contentes du tout et lui tireraient dessus avec leurs fusils-mitrailleurs pour la zigouiller. Tacata ! Tacatatata ! Les salopes ! Telles étaient les pensées de Marlène dans sa folle poursuite engagée avec son mari. Flavière avait vu juste : le sevrage brutal du Mandragol avait provoqué chez madame Duquesne une psychose paranoïaque aiguë qui se traduisait par une hyper agressivité et un comportement suicidaire. En fait dans son délire, Marlène voulait poursuivre à tout prix cette foutue voiture qui se moquait d'elle, et c'était bien grâce à ça qu'elle était encore en vie. Intuitivement, Roland avait pressenti la chose et avait su donner au bon moment le coup d'accélérateur nécessaire pour passer au raz du rail de sécurité en doublant le 4 x 4 par la droite. Cette manœuvre risquée avait provoqué la disparition de l'aile arrière gauche de la Mercedes qui n'avait pas résisté au réflexe destructeur de Marlène. Mais les choses se compliquaient : le Toyota gagnait du terrain sur le vieux break et pour Roland, qui écrasait déjà la pédale de l'accélérateur de toutes ses forces depuis pas mal de temps, il était devenu impossible d'aller plus vite. À côté de l'anesthésiste, la lady récitait des prières en anglais en égrenant un chapelet sorti de son sac.

Soudain, ils ressentirent un violent choc à l'arrière et une gerbe d'étincelles s'alluma au niveau de la jonction des deux pare-chocs. L'avant du Toyota s'avança sur la voiture blanche comme le ferait un boa constrictor en absorbant un hamster vivant. Il y eut bien quelques soubresauts ridicules de la proie pour échapper à son destin, mais rien à faire, la bête progressait toujours dans son écœurante digestion. En quelques secondes le coffre fut englouti. Plus de coffre. Puis la banquette arrière. Plus de banquette arrière. Grignotée elle aussi. Devant ce succès qui dépassait de loin toutes ses espérances, Marlène émit un rire sardonique en savourant l'instant. Roland ne contrôlait plus rien. Son volant tournait dans le vide, les roues avant de la Mercedes ne touchaient plus le sol. Les portières de la voiture étaient coincées ; impossible de fuir. Prisonniers de leur cercueil métallique, Roland et sa passagère attendaient la mort. Mais Marlène venait d'avoir une meilleure idée ; les crétins ne seraient pas écrasés mais pulvérisés dans une explosion magnifique. Un immense feu d'artifice dans lequel elle disparaîtrait, elle aussi. À quatre cents mètres, droit devant et rangé sur le bas-côté, un camion citerne attendait. La meurtrière dirigea son convoi vers ce réservoir de carburant qui lui tendait les bras. Son excitation fut à son comble lorsqu'elle imagina l'impact. Plus que trois cents mètres... Elle exulta en voyant la semi-remorque et en anticipant l'ampleur des dégâts. Plus que deux cents mètres... Combien y aurait-il de morts ? Encore cent mètres... L'obstacle grossissait. Le contact devint imminent et Roland ferma les yeux. Quatre-vingt mètres... Cinquante mètres... Le paysage défila au ralenti et le temps sembla s'étirer comme si une main de géant empêchait la terrible progression en appuyant sur un frein invisible. Vingt-cinq mètres... Douze... Dix... Non, ce n'était pas une illusion : leur vitesse faiblissait. Ils glissèrent encore, très peu maintenant, quand enfin le monstre prédateur relâcha sa prise avant d'effectuer une trajectoire ridicule en demi-cercle tandis que la Mercedes s'immobilisait à quelques centimètres de la citerne remplie de fuel.

La panne d'essence du Toyota avait permis d'éviter une énorme catastrophe.

*

Roland ne bougeait plus. Son front reposait sur le volant. La vieille anglaise était déjà sortie depuis longtemps tandis que l'anesthésiste restait dans cette attitude figée en se demandant comment une femme aussi douce et discrète que Marlène avait pu être capable de pareilles réactions, et surtout comment son cerveau malade l'avait transformée aussi subitement en une véritable machine à tuer. En tout cas, il avait bien conscience qu'il avait limité les dégâts en prévenant les véhicules venant en sens inverse par des appels de phares et des coups de Klaxon incessants.

En relevant la tête, il vit l'impressionnant cordon de policiers qui l'entourait. Trois d'entre eux le mirent en joue. Les canons des armes à feux visaient le milieu de son crâne. Sur la droite, un panneau indiquait : « Aire des Deux-Mers : 30 km ». Comble d'ironie, le 4 x 4 était maintenant immobilisé au même endroit où la jauge s'était allumée une heure plus tôt.

*

— Laissez passer le docteur, dit le brigadier en écartant les autres gendarmes pour faire rentrer le docteur Flavière dans le véhicule sanitaire des pompiers.

À l'intérieur de la cellule, Marlène Duquesne s'agitait sur son brancard sans parvenir à se libérer des larges sangles de contention.

Flavière était parvenu jusqu'à elle au volant de sa Porsche escortée par deux motards. Le docteur Lombard avait prévenu la police de la présence du neurologue sur l'autoroute A 61 et avait insisté sur la nécessité de le retrouver au plus vite pour qu'il puisse prodiguer les premiers soins à sa patiente étant donné qu'il connaissait parfaitement son dossier médical. Bien entendu, Lombard ignorait qu'en agissant ainsi il jetait Marlène dans la gueule du loup.

Le docteur Flavière retroussa la manche du chemisier de Marlène, posa un garrot de caoutchouc au-dessus du coude, désinfecta sommairement la peau à l'aide d'une compresse alcoolisée et enfonça l'aiguille dans une grosse veine. En injectant le Mandragol dans le cathéter, il demanda au policier des nouvelles du mari de Marlène Duquesne.

— Oh, il va passer en comparution immédiate chez le procureur, lui répondit-il en ricanant. Cette affaire a fait beaucoup de bruit et on le garde en cellule à la gendarmerie de Carcassonne avant son transfert sur Toulouse. Au fait, docteur, vous pouvez lui faire une alcoolémie ? Les médecins du SAMU sont débordés et si vous pouviez avoir la gentillesse de…

— Vous avez ce qu'il faut ? coupa Flavière en desserrant le garrot.

— Oui, bien sûr. Je vais vous chercher le kit et les feuilles à remplir pour vos honoraires. Je peux vous laisser seul avec elle, docteur ?

— Hmm hmm, fit le médecin en hochant la tête de haut en bas tout en posant un pansement adhésif sur l'emplacement de l'injection.

Une fois seul avec sa patiente, il vit le visage de la jeune femme se décrisper et tous ses muscles se relâcher.

Les effets immédiats du Mandragol venaient de rendre Marlène aussi douce et docile qu'un agneau.

— Et voilà, bon retour chez les miraculés du LISYR, lui murmura-t-il à l'oreille.

Mais, déjà, elle ne pouvait plus l'entendre.

16

Recroquevillé en position fœtale sur la banquette de la cellule n° 1243, le docteur Duquesne ruminait ses pensées. Il avait tout perdu : son fils parti dans un monde meilleur, sa femme enfermée dans une nouvelle folie, son travail, car cela faisait trop longtemps qu'il n'avait plus donné de nouvelles à ses confrères pour avoir l'espoir de retrouver son poste, son permis de conduire déchiré sous ses yeux par un procureur enragé, et enfin sa liberté : la dernière chose qu'il lui restait encore. Le verdict de son procès avait été sévère : trois ans de prison avec sursis dont trois mois fermes, une amende de 75 000 euros et une interdiction de conduire pour une durée de cinq ans avec obligation de repasser l'examen à l'issue de cette période incompressible. L'avocat général avait insisté sur le nombre de victimes : trois morts dont un enfant de huit ans, vingt-huit blessés dont cinq graves avec de lourdes séquelles prévisibles. « Homicide involontaire, certes, mais homicide quand même, ce qui est d'autant plus grave que le prévenu exerce une profession médicale, et je me porterai également partie civile pour déposer une plainte auprès du conseil de l'ordre des médecins, avait-il dit l'écume aux lèvres. Cet homme qui, à la différence de son épouse, est en pleine possession de ses facultés intellectuelles a délibérément et en toute connaissance de cause effectué trente kilomètres d'autoroute à contresens. En agissant ainsi, il a définitivement brisé la vie de plusieurs familles. Cet homme est un homme mauvais qui mérite une punition exemplaire dans ces périodes de violences routières », avait-il ajouté avant de s'essuyer la bouche avec un mouchoir blanc.

En face de cette plaidoirie passionnée, l'avocat de Roland avait fait pâle figure. Bien sûr, il avait évoqué le traumatisme de la perte de son fils dans un accident de moto comme circonstance atténuante, et avait aussi insisté sur le fait que sa décision courageuse de guider sa femme en ouvrant la route devant elle avait dû permettre de limiter le nombre des victimes, mais ces remarques pertinentes, qui avaient fait hocher la tête du juge et sourire l'avocat général, ne constituaient pas des arguments suffisants pour infléchir la décision finale de « sanction exemplaire ».

Un bruit de verrou brisa le silence. Jojo, le compagnon de cellule de Roland se leva de son lit et se dirigea vers la porte. Le geôlier fit passer un colis dans l'entrebâillement, et le battant métallique se referma aussitôt dans un claquement sourd.

— Tiens, le toub, c'est pour toi, dit Jojo en lançant vers Roland une grosse boîte entourée de papier kraft.

Le paquet rebondit sur le matelas du docteur Duquesne sans susciter la moindre réaction de sa part.

— Ben quoi, t'ouvres pas ? demanda Jojo l'air étonné.

— Si, si, répondit nonchalamment Roland.

Il se releva et commença à défaire la ficelle.

— Alors, c'est quoi : de la bouffe ?

— Attends, j'en sais rien, tu vois bien que j'ai pas encore ouvert.

— Ouais, magne-toi, j'ai faim !

Roland déchira le papier.

— Alors ?

— Mais attends, merde !

— Ouais, ouais, d'ac, t'énerve pas…

Roland ouvrit le couvercle de la boîte et écarquilla les yeux sous l'effet de la surprise.

— Alors ? C'est quoi, hein, c'est quoi ?

— Rien !

— Quoi ? Tu te fous de ma gueule ?

— Non, rien ; un livre, un magnétophone et une lettre. Rien qui se bouffe, quoi !

— Oh, putain, dit Jojo en allant se coucher tout en marmonnant des choses incompréhensibles. Puis, au bout d'une minute, il demanda !

— C'est quoi le titre de ton bouquin ?

— *Les morts nous parlent.*

— *Les morts nous parlent ?*

— Oui, *Les morts nous parlent.*

— Putain, c'est quoi, cette connerie : un truc qui fout les jetons ?

— Non, je crois pas ; c'est écrit par un homme d'église, le père François Brune, dit Roland en retournant le livre.

— Putain, c'est pas vrai, si les curés se foutent à écrire des conneries maintenant, on n'a pas fini de rigoler ! Tu vas le lire ?

— Non, je crois pas, répondit Roland en coinçant l'ouvrage entre un pot de confiture et un poste de radio usagé sur la seule étagère du local exigu.

— Qui c'est qui t'a envoyé tout ça : une poule ?

Le docteur Duquesne préféra ne pas répondre. Il décacheta l'enveloppe et commença une lecture silencieuse.

Toulouse, le 25 août

Cher ami,

Pardon de vous importuner de nouveau, mais je me permets d'insister parce que c'est très important pour vous et pour moi.

Je sais que vous êtes opposé à l'idée de la survivance, mais je sais aussi que vous souffrez comme moi j'ai pu souffrir autrefois avant ma rencontre avec maître Raudive. Moi aussi, au début, j'étais comme vous complètement fermé aux phénomènes paranormaux et aux médiums. Je ne savais pas du tout ce qu'était la transcommunication instrumentale, je n'en avais jamais entendu parler, et aujourd'hui je peux dire que la TCI a sauvé ma vie, et que sans ça je me serais très certainement supprimé tant ma dépression était grande. Je suis au courant de vos soucis. La presse et les médias ne vous ont pas épargné. Ce sont des chiens qui se vautrent dans les scandales. Croyez-moi, je peux vous aider. Ne refusez pas mon aide. Ayez confiance en moi. Essayez de faire ce que je vous demande et je vous assure que vous vous en trouverez soulagé. Vous n'avez rien à perdre et tout à y gagner.

Je vous demande de lire ce livre avec la plus grande attention et je vous demande aussi de n'écouter cette bande enregistrée qu'une fois seulement votre lecture terminée. Si vous faites ce que je vous demande dans l'ordre que je vous donne, je suis certain que les choses vont changer. Elles changeront pour vous, pour moi et aussi pour Stef et Alex.

Je compte sur vous.

Je vous souhaite un bon courage et vous renouvelle mon amitié.

Maurice Burce

Roland froissa la lettre, envoya la boulette de papier dans le trou des toilettes à la turque et tira rageusement sur la chasse d'eau en murmurant : « Foutaises ! »

— Ben dis donc, tu plaisantes pas avec le courrier du cœur, toi, au moins ! remarqua Jojo en ricanant.

17

Lorsqu'il fut à quelques pas de Durcan, Flavière demanda :
« Elle a eu son Mandragol ? » et cela fit sursauter le garçon.
L'infirmier se retourna brusquement avec sa seringue vide à
la main. Il n'avait pas entendu l'arrivée de son patron dans le
box de réanimation de Marlène Duquesne qui gisait inanimée
sur un lit électrique. Durcan assurait un poste d'intérim et
partageait son temps de travail entre le service psychiatrique de
l'hôpital Marchand et celui de neurologie du docteur Flavière.
Son planning serré réparti entre ces deux unités médicales ne lui
laissait guère le loisir de penser à autre chose qu'à l'exercice de ses
fonctions, dont certaines relevaient davantage de l'escroquerie
organisée que des soins attentifs prodigués aux malades dont il
avait la charge. Depuis quelque temps, il était sur les dents, et
cette nervosité croissante intriguait le docteur Flavière.

— Oui, monsieur, je viens de lui faire son injection à l'instant,
répondit Durcan en rougissant.

— On est au troisième jour de sevrage, n'est-ce pas ?

— Oui, c'est ça, nous ne sommes plus qu'à 600 milligrammes
de Mandragol par vingt-quatre heures.

— Bien, bien ! Toujours pas de signes d'éveil ?

— Non, pas encore, monsieur, répondit l'infirmier.

— Oui, c'est un peu normal : à ces doses-là, il faut encore
attendre un petit peu, remarqua le neurologue en tournant les
talons.

— Ah, monsieur ?

— Oui ?

— Pour mon enveloppe ?... Euh, est-ce que vous pouvez me la donner, s'il vous plaît ? J'ai eu une fin de mois un peu difficile et je… enfin je… bégaya-t-il en devenant de plus en plus rouge.

— Oui, bien sûr. Passez dans mon bureau à la fin de votre service, je vous la donnerai.

*

Jocelyn Surane était inquiet. Cela faisait plus de trois quarts d'heure que l'infirmier Durcan était entré dans le bureau du neurologue et il n'était toujours pas ressorti. À plusieurs reprises, perturbé par des éclats de voix et quelques rires inhabituels, le secrétaire très particulier du docteur Flavière s'était levé pour écouter à la porte sans pouvoir comprendre ce qui se passait réellement entre les deux hommes. Et puis il y avait eu ce bruit qu'il ne connaissait pas et qui, maintenant, recommençait. Une sorte de claquement régulier comme lorsqu'on frappe dans ses mains pour tuer un moustique. Sauf qu'à sa connaissance il n'y avait jamais eu ce genre d'insecte dans le bureau de son patron.

— Hum ! hum ! fit le docteur Lombard en entrant pour attirer l'attention de Jocelyn absorbé par ses pensées.

— Oui ?

Michel Lombard remarqua d'emblée le morceau de sparadrap qui avait remplacé le percing de la narine gauche.

— Ah ! Je vous reconnais. Je suppose que vous n'avez toujours pas de rendez-vous, ironisa le fonctionnaire acariâtre en consultant son cahier. Vous êtes le docteur… le docteur Bombard, c'est ça ?

— Lombard, docteur Lombard. Je suis de passage dans le coin et je venais prendre des nouvelles de ma patiente madame Duquesne. Elle est chez vous depuis environ une semaine.

— Ah oui, je vois, pouffa Surane. La cinglée de l'autoroute. Mon Dieu, quand j'y pense, vous vous rendez compte ! Quand même, tous ces pauvres gens qui roulaient tranquillement sans se douter de rien et elle qui arrive à contresens. Mon Dieu, c'est affreux ! commenta-t-il en ondulant sa main.

— Oui, c'est terrible, il y a eu beaucoup de dégâts. Je viens simplement voir si les choses progressent avec elle. Mais je ne voudrais pas déranger le docteur Flavière. S'il est occupé, je repasserai une autre fois. Je venais à tout hasard.

— Mais non, mais non, vous ne le dérangez pas, il est avec un infirmier. D'ailleurs, je ne comprends pas pourquoi il a débranché son Interphone, dit Surane en manipulant des interrupteurs d'un air contrarié.

Puis il se leva de sa chaise et dit :

— Bon ! Allons voir s'il peut vous recevoir.

— Vous ne frappez pas ? demanda Lombard.

Jocelyn Surane ne répondit pas. Lentement, sans faire de bruit, il ouvrit la porte et ils entrèrent.

Gérard Flavière se tenait devant son bureau, le dos tourné à la porte, son pantalon tombé sur les chevilles et son arrière-train bronzé les regardant bien en face en tressautant. Il jouait à la bête à deux dos avec Durcan allongé sur le ventre en travers du lourd plateau de bois. Les mains de l'infirmier s'agrippaient aux rebords de la table et on distinguait ses fesses blanches et rebondies tandis que son slip flottait sur ses genoux.

— Pour l'amour du ciel, arrêtez ce numéro de foire ! hurla Surane.

Au son de sa voix, Flavière fit volte-face et les regarda.

— Seigneur Dieu ! s'exclama Lombard en cachant son visage avec les mains.

— Remonte ton pantalon, au moins ! persifla le secrétaire hors de lui.

— Fichez-moi le camp d'ici ! grogna Flavière en obtempérant à la demande de Surane.

101

L'infirmier sur le bureau se redressa sur les coudes et tourna son visage vers eux. Les joues roses et les yeux écarquillés, il avait l'air de s'ennuyer agréablement.

— Non, Gérard, nous ne partirons pas. Le docteur Lombard est venu prendre des nouvelles de sa patiente. Tu dois le recevoir et faire ton boulot au lieu de détourner des mineurs.

— J'ai vingt-deux ans, protesta Durcan.

— Toi, ta gueule ! répondit Jocelyn.

Michel Lombard, se trouvant de trop dans cette scène de ménage d'homosexuels, préféra s'éclipser en douce.

— Alors, ça t'amuse de m'humilier en public ? demanda Surane les deux mains sur les hanches.

— Tu n'avais qu'à frapper avant d'entrer, je te l'ai déjà dit cent fois ! répondit Flavière.

— Tu te fiches pas mal de moi, n'est-ce pas ?

— Bon, moi, je vais vous laisser, dit Durcan en bouclant son ceinturon.

— Écoute-moi, Joss, tes scènes de jalousie m'exaspèrent. N'oublie pas que tu es mon employé.

— Ton employé, ton employé, tu sais ce qu'il te dit, ton employé ?

— Et en ce qui concerne le but de ma visite, docteur ? demanda Durcan, son joli visage empourpré d'espoir.

— Revoyons ça une autre fois, répliqua Flavière sans se retourner.

— Une autre fois ? Mais ce n'est pas ma faute à moi, si on a été interrompu. Tout ce que je demande, c'est mon enveloppe !

18

Pour éviter de devenir fou, le docteur Duquesne avait décidé de tenir un journal comme le ferait un capitaine de bateau avant le naufrage de son navire. Il pensait que ce travail lui permettrait de garder quelques repères et que, si quelqu'un trouvait le moyen de le lire un jour, il aurait l'occasion de connaître tout ce qu'il avait enduré jusque-là. Et puis ça l'occupait, et s'occuper était devenu indispensable dans cette cellule de prison.

Tandis qu'il griffonnait ses états d'âme sur le support qui faisait office de bureau et de table pour les repas, son ami Jojo, lui, était plongé dans la lecture de l'ouvrage du père François Brune. Sa presbytie l'obligeait à avoir les bras tendus pour tenir le livre à bonne distance. Il était allongé les jambes croisées et soupirait en tournant les pages.

— Dis donc, Jojo, ça a l'air de te passionner, ce livre, remarqua Duquesne en relevant la tête.

— Ouais, c'est vachement balaise. Mais c'est pas un bouquin pour toi.

— Pourquoi tu dis ça ?

— Parce que les toubs ils peuvent pas piger ces trucs. C'est pas pour eux.

— Pff,... tu parles ! et qu'est-ce qu'il y aurait à piger dans toutes ces conneries, tu peux me le dire, toi, peut-être ?

— Non, je préfère pas, tu vois, tellement t'es borné !

— Pfft… fit de nouveau Duquesne en balayant l'air avec sa main.

— Tiens, écoute ça par exemple : c'est le début du bouquin. Attends un peu, il faut que je retrouve la page… Ah, voilà : « *Tout a commencé le 12 juin 1959, dans les environs de Stockholm, avec Friedrich Jürgenson. Jürgenson est né en 1903 à…* », bon, on en a rien à foutre de ça, alors voyons la suite, oui, ça : « *Le 12 juin 1959, dans les environs de Stockholm, Jürgenson avait entrepris d'enregistrer des cris d'oiseaux. Quelle ne fut pas sa surprise, quand il voulut écouter la bande, d'entendre tout d'un coup un solo de trompette qui se termina dans une sorte de fanfare. Puis une voix d'homme, en norvégien, lui parla de cris d'oiseaux de nuit. Enfin, il crut même reconnaître le cri d'un butor. Il pensa d'abord à un déréglage de son appareil. Il se demanda si, dans des circonstances particulières, un magnétophone ne pouvait pas capter certaines émissions comme un récepteur radio. Il fit donc réviser son appareil mais demeurait tout de même très intrigué. La coïncidence était de toute façon troublante. Un mois plus tard, alors qu'il travaillait pour la radio, une voix lui parla de la Russie, en allemand, en l'appelant par son prénom. D'autres fois en italien : Frederico. Ces voix lui disaient aussi : "Tu es observé ; chaque soir, cherche la vérité…" Chaque fois, ces voix étaient inaudibles lors de l'enregistrement. À l'audition, elles n'étaient qu'un léger murmure. Jürgenson dut même entraîner son oreille à les percevoir. La fatigue l'emportant sur la curiosité, il voulut abandonner ses essais. On était à l'automne 1959. Il fut alors en proie à des sortes d'hallucinations auditives.* »

— Tu vois, il convient lui-même qu'il a halluciné, ironisa Duquesne.

— Pas du tout, écoute la suite. Où j'en étais déjà, ah oui, voilà : « *…des sortes d'hallucinations auditives. Son oreille, sensibilisée, croyait discerner…* »

— Croyait discerner, souligna le contestataire.

— « *… croyait discerner des paroles ou des bribes de phrases dans les bruits les plus divers : crépitement de la pluie, froissement de papier, etc. Et toujours les mêmes mots apparaissaient : écouter, maintenir le contact, écouter. Jürgenson reprit ses essais. Mais il n'obtenait que des messages étranges et sans suite. Il crut un temps avoir affaire à des extraterrestres.*

Mais comme rien ne venait le confirmer, n'y comprenant plus rien, il était prêt à abandonner. C'est alors que, le doigt déjà sur le bouton d'arrêt, il capta dans ses écouteurs : "S'il te plaît, attendre, attendre, écoute-nous !" Ces quelques mots changèrent toute sa vie. À partir de ce moment-là, il ne cessa plus ses recherches dans ce domaine et s'y consacra tout entier. Bientôt, il reconnut parmi les voix celle de sa mère, morte quatre ans auparavant. Toutes les hypothèses pour trouver une autre explication tombaient les unes après les autres. Peu à peu l'évidence s'imposait : il recevait bien, en direct, des messages de l'au-delà. Le sachant polyglotte, les voix mêlaient dans la même phrase des mots de toutes les langues, ce que ne fait aucun poste de radio. Elles cherchaient à se faire reconnaître par tous les moyens, lui parlant de sa famille, de son travail, se présentant comme des défunts de son entourage, parents, amis, connaissances. » Alors toub, ça t'en bouche un coin, non ?

— Bof, sans plus ! fit l'anesthésiste en haussant les épaules.

— Ton médium, là, celui qui t'a harcelé, tu m'as bien dit qu'il s'appelait Raudive, non ?

— Oui, William Raudive, pourquoi ?

— Parce qu'il y a un Raudive dans ce bouquin, mais celui-là n'a pas le même prénom… Ah ! voilà, j'y suis, fit Jojo en tournant les pages : « *Constantin Raudive, né en Lettonie en 1909.* »

— Vu la date, ça ne peut pas être lui de toute façon.

— « *Comme Jürgenson, c'est tout à fait par hasard que Constantin Raudive découvrit cette possibilité fantastique de communiquer avec les trépassés vers la fin de 1964 : il fut obligé de sortir de chez lui à l'improviste et, quand il fut de retour, il s'aperçut qu'il avait laissé son magnétophone en marche. Il voulut écouter le début de la bande. Soudain, il eut la stupéfaction d'entendre : "Kotsi Kotsi !" C'était la voix de sa mère qui l'appelait en lui donnant, comme la mère de Jürgenson l'avait fait pour son fils, le diminutif affectueux de jadis*.* » Putain, moi, si un jour j'entends « Dédé » dans un magnétophone, je saurai que c'est ma mère qui m'appelle de l'au-delà. Elle est morte il y a cinq ans, ajouta jojo les yeux larmoyants.

— Dédé ? Tu ne t'appelles pas Georges ?

— Non, André, pourquoi ?

---

* Extrait de : Brune F., Les morts nous parlent, Éditions du Félin, 1993, 19--22.

— Alors, pourquoi on t'appelle Jojo ?

— À cause du poisson rouge. Jojo le poisson rouge, tu connais ?

— Non.

— Bon, laisse tomber, ça serait trop long à t'expliquer, dit Jojo en roulant de gros yeux noirs globuleux tandis que son visage devint brusquement écarlate en se couvrant de sueur comme s'il venait de sortir sa tête d'un aquarium.

— Ce que je peux te dire en tant que médecin, c'est que si tout cela était possible, la communauté scientifique s'y serait intéressée sérieusement.

— Mais elle s'y est intéressée ! s'exclama Jojo en longeant la ligne d'une autre page avec son gros doigt boudiné : « *Alex Schneider : physicien suisse ; Theodor Rudolph et Norbert Unger : techniciens de radio ; l'ingénieur Frantz Seidl de l'école technique supérieure de Vienne ; George Meek, membre de l'Académie des sciences de New York et de la Société américaine d'ingénieurs en mécanique* », et j'en passe des meilleurs. Ce sont pas des charlots, quand même, et ils y croient, eux !

— On peut douter de leur sérieux s'ils croient à ce genre de trucs.

— Mais je pige pas, qu'est-ce qui te gêne là-dedans ?

— Tu sais, moi, je suis très terre à terre, comme on dit, je ne crois qu'à ce que je vois où qu'à ce que j'entends moi-même.

— Au fait, tu t'es décidé à l'écouter, cette bande qu'on t'a envoyée avec le bouquin ?

— Non.

— Pourquoi ?

— Pas envie.

— T'es con ! Moi, à ta place, je serais curieux de savoir ce qu'elle dit.

Ce soir-là, le docteur Duquesne écrivit dans son journal intime :

Aujourd'hui, Jojo m'a lu un passage du livre du père Brune et m'a fait comprendre comment « Jojo » pouvait devenir le diminutif d'André.

106

19

Marlène Duquesne commençait à retrouver sa lucidité en même temps que la perception de son corps. Allongée sur son lit, elle sentit le poids du drap sur sa poitrine et inspira une profonde bouffée d'air aseptisé qui circulait dans sa chambre d'hôpital. Elle tourna la tête sur sa gauche et devina à travers le vitrage dépoli de l'unique fenêtre le morceau de ciel rosi par les prémices d'une aube incertaine. Quelle heure pouvait-il bien être, se demanda-t-elle en remuant les doigts de pied pour se prouver qu'elle ne rêvait pas : 6 heures, 7 heures ? Non, plutôt 8, se dit-elle en entendant dans le couloir les chariots qui roulaient pour apporter les petits déjeuners aux malades. Elle se souvint brusquement de la terrible pensée qu'elle avait eue avant de replonger dans le noir. On la droguait. Elle avait vu un infirmier injecter un produit dans son flacon de perfusion. Tout en lui administrant la mixture jaunâtre, l'homme en blouse blanche avait dit : « J'ai encore diminué la dose, elle devrait bientôt refaire surface », et son collègue avait répondu : « Allons-y doucement quand même, je ne voudrais pas qu'elle se réveille aussi brutalement que la dernière fois. » Les deux soignants ignoraient que Marlène émergeait de temps en temps d'un coma qu'ils jugeaient trop profond pour percevoir les évènements avec autant d'acuité. Pourtant, dans ces moments-là, elle voyait et entendait parfaitement bien. Tout se passait comme si elle quittait son corps et qu'elle flottait à distance au-dessus de celui-ci. Oui, aussi incroyable que cela puisse paraître, elle sortait de son enveloppe de chair et observait la scène avec autre chose que ses yeux. Pour être plus exact, elle se situait dans l'angle droit du plafond de la chambre et réintégrait ensuite ce qu'elle percevait comme étant son « véhicule terrestre » en se faufilant douloureusement par le sommet de son crâne avant de perdre connaissance une nouvelle fois.

Quelqu'un frappa à la porte :

— Qu'est-ce que tu fais ? demanda une voix éraillée en partie étouffée par la mince cloison.

— Ben, je porte le régime 1 de madame Duquesne, répondit une jeune fille.

— Tu sais pas lire ? Madame Duquesne, chambre 21 : régime 0, elle est encore à jeun aujourd'hui. Apprends à lire tes fiches sinon on va avoir des problèmes !

— Oh, pardon, je me suis trompée de ligne !

— Oh, pardon, je me suis trompée de ligne ! mima la maquerelle avec mépris.

Et les pas s'éloignèrent dans un cliquetis de vaisselle.

Marlène essaya de se concentrer pour mettre de l'ordre dans ses idées et pour rétablir une chronologie qui lui échappait totalement. Elle ressentait la douleur de la perte de son fils, revoyait la silhouette de son époux plié en deux devant les gendarmes en apprenant la nouvelle, visualisait la bouteille de whisky vidée en quelques heures, puis la lame du couteau qui avait entaillé ses poignets, et enfin l'eau rougie du bain. Mais après ? Après, plus rien. Le néant ou presque, si ce n'étaient les quelques balades itératives et fugaces qui avaient eu lieu dans cette chambre sordide lorsqu'elle était sortie de son corps. Pourtant, quelqu'un avait dû la sauver pour l'emmener jusqu'ici. Et cette personne ne pouvait être que Roland, bien sûr. Qui d'autre, mis à part son mari, aurait pu s'apercevoir de sa tentative de suicide ? Quand elle s'était glissée dans la baignoire, ils étaient seuls dans la maison. Seuls pour partager un indicible désespoir. Roland. Où pouvait-il bien être maintenant ? Peut-être que lui aussi avait tenté de fuir pour rejoindre Alexandre ? Peut-être avait-il réussi ? Était-il encore vivant ? Il fallait qu'elle sache. Mais inutile de demander, car dans cet hôpital tout le monde lui mentait. Elle devait fuir. Fuir au plus vite avant que quelqu'un ne vienne lui réinjecter cette foutue drogue qui l'assommait en quelques secondes.

Marlène s'asseya sur le bord de son lit et constata qu'elle maîtrisait parfaitement la motricité de ses membres. Elle arracha le sparadrap qui maintenait le cathéter planté dans sa veine et tira doucement sur la tubulure transparente. Un mince filet de sang foncé s'écoula aussitôt sur son avant-bras comme la langue fine d'un serpent venimeux. Le contenu de la bouteille de perfusion se répandit sur le sol en une large flaque visqueuse. Sans affolement, elle se dirigea vers le petit lavabo et actionna le robinet qui cracha un puissant jet d'eau froide pour nettoyer sa peau. Un haut-le-cœur la gagna et elle manqua vomir. Sa tête tournait et l'hémorragie continuait. Dans une semi-conscience, elle visualisa l'origine du saignement : un orifice punctiforme au niveau du pli du coude. Elle comprima l'endroit avec un morceau de mouchoir en papier et le fixa tant bien que mal avec un restant d'adhésif. Au bout de quelques secondes, elle constata avec satisfaction que le pansement de fortune colmatait parfaitement la plaie. Elle était maintenant libre de tous mouvements.

Elle entrebâilla la porte. Personne. À pas de loup elle se dirigea dans le couloir vers le local des infirmières. Personne non plus. Les soignantes s'étaient absentées car la relève et les transmissions des équipes de nuit se faisaient toujours en salle de repos autour d'une gosse cafetière brûlante. Marlène ouvrit un des hauts placards métalliques et emprunta une blouse et des sabots de plastique. Un stéthoscope rouge porté autour du cou compléta la panoplie de l'infirmière modèle.

Puis, l'air aussi naturel que possible, elle se dirigea vers l'ascenseur de service. Avant qu'elle eût à appuyer sur le bouton d'appel, la porte coulissante s'ouvrit et un homme svelte à l'allure jeune et sportive l'interpella de la cabine.

— Vous montez ou vous descendez ? lui demanda-t-il l'air surpris.

— Euh, je descends.

— Ah, ça tombe bien, moi aussi. Eh bien montez si vous descendez, ironisa-t-il en s'écartant légèrement pour la laisser entrer.

Marlène plissa les yeux pour lire « docteur Yves Legotte » sur le badge de la blouse qui était maintenant à la hauteur de ses yeux.

— Quel étage ? questionna le géant.

— Au sous-sol, répondit-elle du tac au tac.

— Au parking ?

— Oui, c'est ça, au parking.

— Moi, je m'arrête au deuxième. Enfin, si cet ascenseur veut bien m'y emmener. Depuis le septième étage il se prend pour un omnibus, dit-il en mettant son index sur le chiffre 2 du clavier.

Le médecin balaya d'un regard vertical la silhouette de Marlène.

— La nuit n'a pas été trop dure ?

— Bof, la routine d'une infirmière, sans plus.

— Vous êtes intérimaire, non ? C'est la première fois que je vous vois dans cet hôpital. Vous travaillez dans quel service ?

— À votre avis ? demanda Marlène sans savoir que répondre.

— Chez Flavière, je suppose, si vous êtes au cinquième étage.

— Bravo, docteur, se moqua-t-elle gentiment.

— Vous savez, ce n'est pas automatique. Ici, les infirmières se baladent pas mal d'étage en étage.

— Se baladent, ah oui ?

— Se déplacent, si vous préférez. Quand je pense que vous êtes chez Flavière, quel gâchis !

— Pourquoi dites-vous ça ?

— Non, ne me dites pas que vous ignorez son homosexualité, tout le monde est au courant ici ! Je dis quel gâchis parce qu'une aussi jolie femme que vous mériterait qu'on s'y intéresse, ajouta-t-il en se rapprochant d'elle.

CLING !

— Ah ! Je crois que vous êtes arrivé, dit-elle.

— Pardon ?

— Coucou, nous sommes au deuxième étage. Il faut vous réveiller docteur Legotte.

— Ah oui, merci ! Pardonnez-moi, c'est la première fois que je tombe amoureux dans un ascenseur. À très bientôt j'espère, ajouta-t-il encore avant de disparaître derrière la porte coulissante.

— Quel con ! murmura Marlène en haussant les épaules.

*

Le docteur Flavière était de fort mauvaise humeur. Il était en ligne avec un des dirigeants du protocole LISYR et essayait de le convaincre d'inclure le dossier de madame Duquesne dans la série des patients traités par le Gallathium. Jocelyn Surane écoutait d'une oreille discrète les propos de son patron qui avait laissé la porte de son bureau grande ouverte.

— Mais puisque je vous dis que cette patiente n'a été admise chez nous qu'après l'incident de l'autoroute ! Ça n'a rien à voir avec le Gallathium. Le traitement a été donné après… Mais non, on s'en fout, des médias… Quel amalgame ?… Non, il suffit de leur expliquer. Et voyez-vous, c'est même le contraire. Ce peut être l'occasion de recevoir des journalistes pour parler du produit. Tous les médias ont parlé des Duquesne avec cette histoire d'autoroute, ils seront sûrement intéressés de savoir comment la médecine peut traiter ça. Je vous assure que madame Duquesne pourra accorder une interview d'ici quelques jours… Non, je serai là moi aussi, bien sûr… Évidemment je parlerai du Gallathium, je ne suis pas tout à fait con ! Mais il faudra doubler mes honoraires sur ce dossier car je mouille mon image… D'accord, ça marche… OK, d'accord… Écoutez, voilà ce que je vous propose : donnez-moi les coordonnées de votre attaché de presse et je le contacterai dès que je jugerai l'interview possible... Non, je ne peux pas vous donner la date approximative, à chaque jour suffit sa peine et la médecine n'est pas une science exacte... Oui, c'est ça, c'est lui qui se mettra en contact avec moi, comme vous voudrez... Oui, je suis là tous les jours aux heures ouvrables... D'accord, au revoir, monsieur.

Flavière reposa le combiné sur son socle et se laissa glisser dans son fauteuil de cuir en se passant une main sur le front.

Son secrétaire frappa à la porte.

— Pourquoi tu frappes, Joss, tu vois bien que c'est ouvert ?

— Faudrait savoir ce que tu veux, ironisa Surane avec un regard mauvais.

— Écoute, j'ai pas envie d'une nouvelle dispute, d'accord ?

— Durcan est en ligne, il veut te parler, c'est urgent, paraît -il. On dirait qu'il ne peut plus se passer de toi !

— J'en ai ras le bol de tes scènes de jalousie ! Passe-le-moi ici, s'il te plaît, dit le neurologue en montrant le téléphone posé sur le bureau.

— D'accord patron ! siffla Surane en claquant la porte avant de coller son oreille sur la cloison.

— Allô !... Quoi ?... Encore ?... Non, c'est pas vrai, ça !... Mais comment est-ce possible ? Elle n'a pas pu s'échapper, elle était endormie et perfusée !... Qui est au courant ?... Comment ça, tout le monde !... Mais non, son mari n'a pas pu la kidnapper, il est en prison... Non, pas de panique. Je sais ce qu'on va faire : vous allez dire que c'est moi qui l'ai fait transférer dans un autre hôpital ce matin, que je suis au courant et que j'avais oublié de prévenir le service, d'accord ?... Cela laissera du temps pour la retrouver. Elle ne doit pas être bien loin. Je vous charge de fouiller l'hôpital le plus discrètement possible. De mon côté, je vais faire vérifier toutes les sorties d'ambulances. Ses vêtements sont toujours là ? Bon, tant mieux. On a bien fait de les mettre sous clé. Je fais venir un intérim pour vous faire remplacer, et vous ne vous occuperez que de ça, d'accord ? Je ne veux pas de merde sur ce dossier… D'accord… D'accord… Ah, Durcan, si vous la retrouvez, je double le montant de votre enveloppe !

*

Cela faisait trois bonnes heures que Marlène attendait recroquevillée dans l'obscurité du coffre à bagages de la BMW stationnée dans le parking souterrain de l'hôpital. Elle avait coincé l'embout auriculaire du stéthoscope contre le loquet de la serrure de façon à pouvoir sortir de sa cachette le moment venu. Elle n'avait trouvé que ce moyen pour sortir incognito, car habillée en infirmière elle n'avait aucune chance de passer inaperçue en dehors de cette enceinte qui était devenue sa prison. Elle avait essayé vainement d'ouvrir toutes les serrures des autres voitures et seule la BMW avait répondu à ses espoirs. Pour se ménager une place suffisante dans ce refuge inconfortable, elle avait dû évacuer un sac de golf et un chariot électrique dans le container destiné au matériel souillé.

Marlène commençait à trouver le temps long et l'air irrespirable lorsque soudain elle entendit la portière de la voiture s'ouvrir et perçut le poids du chauffeur qui fit bouger légèrement l'habitacle. La grosse berline démarra et s'immobilisa de nouveau après avoir parcouru quelques mètres. Le chauffeur descendit et appuya fermement sur le coffre à bagages. Sous la pression, l'embout du stéthoscope bascula et le verrou s'enclencha. Marlène était maintenant enfermée. Le conducteur se remit au volant et constata avec satisfaction que le témoin d'ouverture du coffre venait de s'éteindre. La BMW roula avec souplesse vers une destination inconnue.

*

Le chauffeur de l'ambulance actionna son gyrophare. En vingt ans de carrière, c'était bien la première fois que la barrière de l'hôpital ne s'ouvrait pas rapidement pour le laisser sortir. Il baissa sa vitre et demanda les raisons de cette obstruction.

— Ordre de la direction, on doit vérifier les identités des personnes transportées, lui répondit le gardien, en pestant contre cette décision qui l'obligeait à faire un travail supplémentaire dont il se serait bien passé. Ils ne savent plus quoi inventer pour nous emmerder. La semaine dernière c'était le plan rouge pour les urgences ; il fallait relever toutes les entrées, et maintenant ils nous font chier avec les sorties, ajouta-t-il exaspéré.

*

Une demi-heure plus tard, le propriétaire de la BMW ouvrit son coffre et découvrit avec stupéfaction qu'une infirmière avait remplacé ses affaires de golf.

— Docteur Legotte ? dit Marlène en écarquillant les yeux.

— Mais… Mais vous êtes l'intérimaire de l'ascenseur ! Qu'est-ce que vous faites là ?

— Ce serait trop long à vous expliquer. Il fallait que je parte sans me faire remarquer.

— Et c'est le seul moyen que vous ayez trouvé ? demanda le médecin les deux mains sur les hanches.

— Oui, euh… c'est à cause du chef de service, je ne voulais pas qu'il me trouve.

— Flavière ?

— Oui, Flavière. Il est terriblement jaloux. Je suis sa maîtresse, il voulait me tuer, mentit Marlène.

— Mais je croyais qu'il était homo, s'étonna Legotte.

— Eh bien non, il est bi !

— Où sont mon sac de golf et mon chariot électrique ?

— Euh, j'ai dû m'en débarrasser.

— Quoi ? Vous savez combien ça coûte ?

— Au moins aussi cher que la vie d'une femme, s'énerva Marlène.

— Écoutez, moi, je m'en fous de vos histoires. Qu'est-ce que vous comptez faire maintenant ?

— Où sommes-nous ?

— Au golf de Vieille-Toulouse. J'ai rendez-vous avec des amis et j'ai un départ dans dix minutes. Je devais prendre un sandwich et partir. De toute façon, c'est foutu maintenant, j'ai même pas mon matériel.

— Pour ce que nous avons à faire, vous avez tout le matériel qu'il faut, lança Marlène en jetant un coup d'œil malicieux sur la braguette du médecin.

— Qu'est-ce que vous voulez dire ?

— Vous ne préférez pas faire une sieste avec moi ?

— Vous êtes sérieuse ?

— Emmenez-moi chez vous, vous verrez bien. Je m'engage à vous faire perdre autant de calories qu'en faisant une partie de golf.

Sur le départ du trou n° 1, les deux ophtalmologues avec lesquels devait jouer Yves Legotte faisaient des swings d'essai avec leur driver. Ils répétaient ces gestes de routine pour délier leurs muscles comme toujours avant de commencer à taper le premier coup. Mais cette fois-ci, les accélérations qu'ils donnaient à leurs clubs témoignaient d'un énervement mal contrôlé. Il faut dire que la scène qui s'était déroulée à une centaine de mètres d'eux avait de quoi les surprendre. Ils avaient vu leur copain Yves ouvrir son coffre pour parler à ses clubs de golf qui s'étaient instantanément métamorphosés en une belle infirmière qui était sortie de là comme un lapin d'un chapeau de magicien. Ensuite, sous leurs regards médusés, la fille était venue s'asseoir à l'avant de la BMW le plus naturellement du monde. Enfin, Yves avait démarré en trombe dans un nuage de poussière après leur avoir fait de loin un petit signe désolé de la main.

— Bon, je crois qu'on peut y aller. Il ne reviendra pas, dit l'un des ophtalmos.

— T'as raison, il a mieux à faire, répondit l'autre.

20

— Il est pas con, ce Pim Van Lommel, lâcha Jojo en tournant les pages d'un magazine.

— Pourquoi tu dis ça ? demanda le docteur Duquesne en décachetant le reste de son courrier.

— Tu connais Pim Van Lommel ?

— Non, jamais entendu parler.

— Pourtant, c'est un toub comme toi. Il est moins borné que toi, lui. Il est professeur de cardiologie aux Pays-Bas et il pense que la conscience continue à fonctionner quand le cerveau s'arrête. Autrement dit, quand on est canné, on continue à cogiter ! C'est dingue !

— Oui, complètement. C'est quoi, cette revue ?

— C'était dans ton courrier, j'te signale. C'est pas une revue, c'est un magazine, toub, et ça s'appelle *Nexus*.

— *Nexus* ? Connais pas non plus.

— Normal, dans l'édito le directeur se plaint. On leur met des bâtons dans les roues pour les empêcher de publier leur canard en leur foutant une TVA à 19,6 % au lieu de 2,10. Tu te rends compte, c'est déguelasse. Elle est jolie, la liberté d'expression en France !

— Bof, tu parles ! Et pourquoi ils feraient ça, d'abord ?

— Parce qu'ils dérangent, c'est tout. Écoute ça, toub : « *La commission paritaire des publications et agences de presse, officiant au*

117

sein des services de Matignon et à laquelle ne siège aucun scientifique, ne nous donne pas de détails sur le bien-fondé de sa décision. »

— C'est peut-être un argument publicitaire pour se faire passer pour des victimes.

— Mon cul, oui ! T'es vraiment naïf, toub !

— Mais enfin, donne-moi une seule bonne raison qui pousserait nos dirigeants à empêcher ce magazine de paraître.

— Le fric, toub, encore et toujours le fric ! Les types ont contesté les vaccins et autres magouilles de labo, ils se sont fait niquer la gueule, c'est aussi simple que ça.

Le docteur Duquesne se redressa et fit quelques pas pour calmer les fourmillements qui s'installaient dans ses jambes chaque fois qu'il restait allongé trop longtemps.

— Dix mètres carrés, c'est un peu juste pour un jogging, non ? plaisanta Jojo.

— Avec la remise de peine, j'espère bien sortir bientôt. Si tout se passe bien, dans quinze jours je suis dehors.

— T'as déjà vu le JAP* ?

— Non, pas encore.

— Alors attends un peu avant de te faire des idées, tu risques d'avoir des surprises. Y avait une lettre dans ton colis, tu veux que je te la lise ?

— Si tu veux, j'ai le temps. J'ai pas de rendez-vous aujourd'hui, ironisa Duquesne.

— Ah ! tiens, c'est le mec de la dernière fois qui t'as envoyé ça : Maurice Burce.

— Oui, je m'en serais douté.

— Bon, alors je lis : « *Cher docteur, en complément de l'enregistrement et du livre du père Brune, je vous envoie cette édition de* Nexus *qui parle d'une avancée considérable de la science faisant suite à la première Conférence internationale sur l'état de mort imminente qui s'est tenue à Martigues le 17 juin dernier. Vous lirez qu'à l'issue de cette journée un consensus s'est dégagé pour dire qu'un état de conscience modifiée perdure à la mort cérébrale. Les médecins ont présenté des*

---

* JAP : Juge d'Application des Peines

118

dossiers argumentant ce phénomène. Je vous engage en particulier à lire de la page 10 à la page 28 l'article intitulé : "La conscience à corps perdu". Bonne lecture. Bien à vous. Maurice Burce. »

— Oui, bon, tu le liras et tu me feras un petit résumé si tu veux bien. Je n'ai pas l'intention de m'attarder là-dessus, dit Duquesne en entamant une série de pompes.

— Justement, j'ai déjà lu le plus important et je voulais t'en parler. Tu sais, je n'ai pas eu la chance de faire de longues études comme toi, je n'ai qu'un CAP d'électricien, mais j'ai compris ce qu'il a dit, ce Pim Van Lommel.

— Ah oui ?... Ouch, six... sept, hach... et qu'est-ce qu'il a dit ? Huit...

— Il pense que le cerveau, c'est comme une télé, tu vois : quand il est éteint, les informations continuent à passer mais on ne peut plus les capter, tu piges ?

— Pas très bien, non, treize, ouf...

— Mais si, ça veut dire que ce que l'on pense, c'est comme des ondes et le cerveau capte ou ne capte pas. Putain, il faut pas être bien futé pour comprendre ça, merde ! Tu le fais exprès ou quoi ?

— Oui, je vois, je vois. Pas la peine de t'énerver pour si peu !

— Bon attends, je vais te lire un seul truc. Il y a plusieurs exemples dans l'article mais celui-là est vachement balaise... Tiens voilà, j'y suis : « *En 1991, Pamela Reynolds, une musicienne de trente-cinq ans habitant à Atlanta, subit une intervention chirurgicale à l'institut neurologique Barrow dans l'Arizona. Cette intervention visait à faire l'ablation d'un anévrisme géant situé sur le tronc cérébral.* » C'est quoi, ça ?

— Ouch !... Et vingt-cinq... C'est une malformation d'une grosse artère située dans le cerveau, dit Duquesne en se relevant couvert de sueur.

— Ah bon, d'accord ! Je continue : « *Durant cette intervention qui dura près d'une heure, pas une goutte de sang ne circula dans son cerveau car la moindre pression sanguine à l'intérieur de l'anévrisme pouvait être fatale. Comme cet organe ne peut être privé d'oxygène pendant plus de quelques minutes, le cerveau de Pam Reynolds fut plongé en hypothermie à 15,5 °C puis vidé de son sang. Au cours de cette intervention, on enregistra un EEG…* » C'est quoi, un EEG ?

— Un électroencéphalogramme, ça sert à mesurer l'activité électrique du cerveau.

— Donc « *on enregistra un EEG et on monitorisa ce qui se passait dans le tronc cérébral par l'entremise de potentiels évoqués auditifs.* » C'est quoi, ça ?

— Le potentiel évoqué auditif sert à enregistrer la transmission des données sonores au cerveau, comme ça on sait si une surdité est secondaire à une maladie neurologique.

Jojo fronça les sourcils et leva les yeux au plafond avant de demander :

— C'est comme un potentiomètre d'électricien en fait, c'est ça ?

— Oui, si tu veux, répondit Duquesne en souriant.

— Où j'en étais ? Ah oui : « *Il fut ainsi possible de montrer que les ondes cérébrales de Pam Reynolds étaient plates et son tronc cérébral, inactif. En d'autres termes, cette dernière était cliniquement morte et son cerveau ne fonctionnait plus. Toutes les activités de base du cerveau ainsi que les fonctions supérieures avaient cessé. Chose remarquable, tandis que son cerveau n'était plus fonctionnel, Pam Reynolds perçut la scie à trépaner que tenait le neurochirurgien…* » Putain, ils scient le crâne avec une scie, c'est vraiment comme ça que ça se passe ?

— Ben oui, avec quoi veux-tu qu'ils fassent, avec un cure-dent ? ironisa Duquesne en s'allongeant.

— Bah, ça fout les jetons ton truc, dit Jojo en secouant les épaules pour figurer un frisson d'horreur avant de reprendre sa lecture : « *Pam Reynolds perçut la scie à trépaner que tenait le neurochirurgien et la boîte contenant ses accessoires, ainsi que le dialogue entre le neurochirurgien et le cardiologue. Le rapport enregistré de l'intervention a permis de vérifier et de situer dans le temps le moment précis de ces éléments. Ce rapport a démontré une acquisition d'informations objectives. Voici un extrait du témoignage qu'elle fit au docteur Sabom en 1998.* » Écoute bien ça, toub, tu vas voir, c'est très impressionnant : « *J'ai entendu un bruit mécanique qui faisait penser à la fraise du dentiste. C'était comme si le bruit me poussait, et finalement je suis sortie de mon corps par le haut de ma tête. Dans cet état, j'avais une vision extrêmement claire de la situation. J'ai remarqué que mon médecin avait un instrument dans la main qui ressemblait à une brosse à dents électrique. Il y avait un emplacement en haut, ça ressemblait à l'endroit où on met l'embout. J'ai regardé vers le bas et j'ai vu une boîte. Elle m'a fait penser à la boîte à outils de mon père quand j'étais enfant. À peu près au moment où j'ai vu l'instrument, j'ai entendu une voix de femme, je crois que c'était la voix de ma cardiologue. La voix disait que mes veines étaient trop étroites pour évacuer le sang et le chirurgien lui a dit d'utiliser les deux côtés. Je ne suis pas restée là plus longtemps, j'ai soudain senti une présence, et quand je me suis retournée j'ai vu un minuscule point lumineux. Il semblait très, très éloigné. Et quand je me suis rapprochée, j'ai entendu ma grand-mère m'appeler. Je suis aussitôt allée vers elle, et elle m'a gardée tout près d'elle. Et plus je me rapprochais de la lumière, plus je commençais à voir des gens que je reconnaissais. J'étais impressionnée par le fait que ces gens avaient l'air merveilleux. Ma grand-mère n'avait pas l'apparence d'une vieille femme. Elle était radieuse. Tout le monde avait l'air jeune, sain, fort. Je dirais volontiers qu'ils étaient de la lumière, comme s'ils portaient des vêtements de lumière, ou comme s'ils étaient faits de lumière. Je n'ai pas été autorisée à aller très loin, ils me gardaient près d'eux. Je voulais en savoir plus sur la musique, sur le bruit d'une chute d'eau, sur les chants d'oiseaux que j'entendais, et savoir pourquoi ils ne me laissaient pas aller plus loin. Ils ont communiqué avec moi. Ils pensaient et j'entendais. Ils ne voulaient pas que j'entre dans la lumière, ils disaient que si j'allais trop loin ils ne pourraient plus me relier à mon moi physique. Puis mon oncle m'a ramenée en bas, à travers le tunnel. Pendant tout le voyage j'ai intensément désiré retourner dans mon corps. Cette idée ne me posait pas de problème : je désirais revenir vers ma famille. Puis je suis arrivée à mon corps et je l'ai regardé, et franchement il avait l'air d'une épave, il avait l'air de ce qu'il était : mort. Et je n'ai pas voulu y retourner. Mon oncle m'a communiqué que c'était comme sauter dans une piscine. J'étais réticente à le faire, et puis il s'est passé quelque chose que je ne comprends toujours pas aujourd'hui. Il a accéléré mon retour dans mon corps en me donnant une sorte de coup, comme quand on pousse quelqu'un dans la piscine. Et quand j'ai touché mon corps, c'était comme un bassin d'eau glacée…* » Tu te rends compte, c'est incroyable, non ? ponctua Jojo avant d'ajouter : « *Au cours de son expérience, Pamela Reynolds perçut aussi la présence d'une lumière très brillante et aimante. Dans cette lumière, elle réalisa que son âme faisait partie de Dieu, et que tout ce qui existe a été créé à partir de cette lumière, qui est l'essence même de Dieu.* » C'est beau, non ? demanda Jojo les yeux larmoyants.

— …

— Oh, tu dors ?

— Non.

— Tu réfléchis ?

— Oui.

— À ce que je viens de te lire ?

— Oui, entre autres.

— Comment ça, entre autres ?

— À vrai dire, je me demandais pourquoi un type comme toi pouvait s'intéresser à ces choses-là. La vie, la mort, pour moi c'est une affaire classée. On vit, on meurt, point barre. Une fois mort, on est foutu. On disparaît pour toujours bouffé par les vers ou cramé dans un crématorium. C'est aussi simple que ça.

— Depuis tout môme je me pose une tapée de questions là-dessus : pourquoi on vit, pourquoi on meurt, qu'est-ce qu'on est venu foutre ici…

— Jojo le philosophe, ricana Duquesne.

— J'ai pas beaucoup étudié à l'école, mais je sais des trucs sur la mort que pas beaucoup de mecs savent.

— Ah bon, et quoi par exemple ?

— Tu sais combien de temps ça vit, un corbeau ?

— Un corbeau ? Non, pourquoi ?

— Un corbeau vit cent à cent dix ans, un cygne, quatre-vingt-dix à cent ans, une tortue de mer, cent vingt à cent trente ans. Et tu sais ce qui vit le plus vieux sur cette terre ?

— Euh, non… un végétal, je suppose… le baobab ?

— Faux, c'est le séquoia géant de Californie : deux mille sept cents ans !

— Dis donc, t'es drôlement calé sur le sujet. Tu peux aller à *Questions pour un champion* ! Mais je ne vois pas très bien où tu veux en venir avec tous ces chiffres.

— On est minable par rapport à toutes ces espèces. On vit très peu de temps et pourtant on se croit les plus forts. Si la vie continue après la mort, ça équilibre un peu les trucs de la nature par rapport à nous, tu vois ?

— Oui, mais justement : la vie s'arrête au moment de la mort et il n'y a rien après, voilà tout !

— T'as rien pigé à l'article que je viens de te lire ou quoi ? T'es quand même drôlement buté comme mec ! La nana, cette Pam Reynolds, en fait elle était comme morte avec un cerveau HS pendant que les toubibs la charcutaient, et pourtant elle a tout vu, tout entendu comme si elle était vivante, enfin… comme si son cerveau était vivant, quoi.

— Oui, j'ai bien compris, mais pour moi ça ne change rien à mes convictions sur la mort. De toute façon, elle n'était pas morte puisqu'elle est revenue !

— OK, elle est revenue, mais c'est quoi la mort d'après toi, c'est bien quand le cerveau s'arrête, non ?

— Oui et non. Oui, parce que lorsque le cerveau s'arrête de fonctionner on peut déclarer en toute objectivité le décès d'un patient. En réanimation, pour débrancher un malade d'un respirateur ou pour lui prélever ses organes, il faut avoir deux EEG plat pendant au moins trente minutes à quatre heures d'intervalle en dehors de conditions d'hypothermie ou de sédation. Et non, parce que justement les organes prélevés dans ce genre de situations peuvent continuer à vivre dans le corps d'un receveur ; les tissus ne sont donc pas tous morts.

— Mais cet examen-là, l'EEG, je suppose qu'on ne le fait pas à tout le monde pour déclarer un décès.

— Non, bien sûr, on ne le fait que dans certains cas bien précis.

— Alors, il y a sûrement des gens qui ont dû être enterrés vivants, non ?

— C'est fort possible, oui. Tu peux me passer ta revue, s'il te plaît ?

En lançant le magazine *Nexus* sur le lit du docteur Duquesne, Jojo était loin de se douter que la lecture qu'il venait de faire à haute voix avait ouvert une petite brèche dans l'esprit bétonné de son compagnon de cellule en soulevant la formidable question de l'existence d'une conscience délocalisée après la mort.

21

Marlène Duquesne était la proie de sentiments confus alimentés par de multiples questions. Où était son mari ? Que pouvait-elle faire pour tenter de le retrouver ? Pourquoi ne répondait-il pas à son portable ? Qui pouvait-elle appeler sans crainte ? À qui faire confiance ? Que s'était-il donc passé depuis qu'elle avait essayé de mettre fin à ses jours en s'ouvrant les veines ? Pourquoi avait-on essayé de la droguer en voulant la retenir dans cette chambre d'hôpital ? Était-elle en train de vivre un cauchemar depuis la mort d'Alexandre ? Allait-elle enfin se réveiller ? Tout se bousculait dans sa tête. Elle avait réussi à se débarrasser de l'envahissant docteur Legotte en simulant un violent embarras gastrique. À sa demande pressante, le malchanceux l'avait reconduite chez elle avant même d'avoir pu envisager la moindre galipette substitutive à sa partie de golf. Ils devaient se revoir. Du moins c'était ce qu'elle lui avait promis pour le calmer un peu et avoir la paix avant qu'il ne l'abandonne devant le portail de son domicile. La BMW était repartie dans un bruit nerveux de crissement de pneus. Ensuite, elle avait escaladé la grille électrique en déchirant sa blouse d'infirmière et ouvert la porte d'entrée en se servant de la clé d'appoint que Roland avait dissimulée sous une dalle de la margelle de la piscine. Elle était revenue ici pour se cacher comme une fugitive qui ne connaît même pas l'identité de ses poursuivants. Elle ignorait alors que l'un d'entre eux l'avait déjà localisée. En fait, depuis l'évasion de

Marlène, le domicile des Duquesne était surveillé sans relâche par les sbires du docteur Flavière.

Après s'être douchée et changée, Marlène empila à la hâte quelques habits dans un sac de sport, prit tout l'argent liquide que contenait le coffre emmuré derrière le bureau et partit dans la cuisine se faire un café serré. Elle pressentait qu'elle n'avait pas de temps à perdre et qu'il fallait quitter les lieux dans les meilleurs délais. Partir, oui, mais où ? se demanda-t-elle encore en avalant une gorgée du breuvage brûlant. Le clignotement du témoin lumineux du téléphone attira son attention. On avait laissé des messages :

BIP ! Bonsoir, c'est Maurice Burce. Excusez-moi d'insister mais il faut que l'on se voie au sujet de votre fils. Rappelez-moi, c'est urgent… BIP !… BIP ! Salut, c'est Michel, écoute-moi Roland, ta femme est en danger, je sais que tu es parti avec elle, déconne pas, appelle-moi et dis-moi ce que tu comptes faire… BIP !

Marlène sursauta en apercevant sur sa caméra de vidéosurveillance deux hommes qui enjambaient le portail avec la souplesse d'acrobates entraînés. Sans perdre une seconde, elle griffonna sur un bout de papier déchiré le numéro de téléphone de Maurice Burce retrouvé dans le carnet d'adresses près du combiné, prit son sac de voyage et pénétra dans le garage par la porte intérieure pour se mettre au volant de sa Clio. Elle actionna la télécommande qui ouvrait simultanément la porte du garage et la grille d'entrée et démarra en trombe. Sous l'effet de la surprise, les deux intrus eurent tout juste le temps de s'écarter pour ne pas être percutés de plein fouet. Marlène aperçut dans le rétroviseur un homme vêtu de noir qui dirigeait vers elle le canon de son arme automatique et une fraction de seconde plus tard elle perçut le crépitement des balles contre la voiture. Sa vitre arrière vola en éclats. Sous les impacts, elle évita de justesse le pilier gauche du porche et écrasa la pédale de l'accélérateur. Après un violent dérapage de l'arrière, la Clio se stabilisa sur la chaussée et se dirigea vers la rocade est de Toulouse. Il ne fallait pas mollir car ses agresseurs étaient déjà montés dans leur coupé

Mercedes. Une Porsche la croisa et fit aussitôt un tête-à-queue pour rejoindre les poursuivants. Son conducteur, le docteur Flavière, qui avait pris des cours de pilotage sur glace, maîtrisa parfaitement le spectaculaire demi-tour. L'ambitieux médecin ne tenait pas à voir filer une nouvelle fois son imprévisible patiente qui risquait de mettre fin non seulement au protocole LISYR, mais aussi à toute sa carrière d'éminent neurologue. Les deux puissantes voitures allemandes n'eurent aucun mal pour rattraper Marlène. Elles n'étaient plus maintenant qu'à quelques dizaines de mètres de leur cible. Flavière ouvrit sa vitre et orienta le calibre de son arme pourvu d'un silencieux vers le pneu arrière gauche de la Clio. Un bruit sourd fit vibrer le spoiler arrière.

Manqué. Le prochain sera le bon, encore un peu de patience, pensa le neurologue en réajustant son tir. Cette fois la roue était en pleine ligne de mire. Impossible d'échouer. Il appuya sur la détente, et là… rien, aucun son ne sortit car avant que le coup ne parte une violente pluie de grêlons s'abattit soudain sur eux. Une pluie terrible comme il en existe parfois dans ce pays vers la fin de l'été.

« *Merde !* » pesta Flavière en actionnant la commande pour remonter la vitre. Ce véritable déluge avantageait Marlène car, à la différence des voyous qui étaient à ses trousses, elle connaissait parfaitement la route. Sans avoir la moindre visibilité et se fiant simplement à son instinct, elle accéléra encore et encore tandis que les autres, complètement aveuglés par les trombes d'eau sur leur pare-brise, ne pouvaient que ralentir. La Clio prit de la distance. Marlène vit le panneau annonçant le prochain rond-point. En un éclair, elle imagina la suite. Il existait une petite chance de se débarrasser d'eux : une fois arrivée là-bas, il lui faudrait tourner deux fois à droite pour atteindre le parking du complexe commercial en croisant les doigts pour qu'ils ne la voient pas et prennent la bretelle d'accès à la rocade. Une fois engagée dans le giratoire, elle donna un premier coup de volant, puis cinq secondes après un second dans la même direction. La Clio, arrivant trop vite dans ce virage en épingle, fit une terrible embardée qui souleva tout son côté gauche. Marlène appuya de toutes ses forces sur le frein en fermant les yeux. Cette manœuvre énergique immobilisa la voiture au milieu du parking. Elle remercia le ciel en devinant les feux arrière des deux bolides s'éloigner. Son plan hasardeux avait fonctionné à merveille. Impossible pour eux de faire demi-tour. Elle les avait semés. Un petit rire nerveux sortit de sa bouche. Il ne lui restait plus maintenant qu'à trouver une cabine téléphonique pour prendre contact avec Maurice Burce. Sans véritablement en connaître les raisons, Marlène avait l'intuition que seul cet homme pouvait l'aider. En plus, le message laissé sur le répondeur méritait des explications. Que pouvait-il donc avoir à dire au sujet d'Alexandre ?

Brusquement la pluie cessa. Le vent avait envoyé dans les buissons quelques poches de plastique, tombées comme d'étranges pétales. Des silhouettes se pressaient derrière des Caddie remplis de victuailles tandis que des coffres s'ouvraient pour engloutir d'improbables provisions. Et tout cela s'agitait comme une ruche après un orage. Marlène coupa le contact et commença à se détendre en allumant une blonde mentholée extraite d'un vieux paquet froissé retrouvé dans la boîte à gants. Elle se savait en danger, devinait qu'on lui en voulait, mais pas au point de vouloir la tuer. Ces types lui avaient tiré dessus ! Elle mit plusieurs minutes à comprendre et à établir une relation entre la fuite de sa chambre d'hôpital et l'identité de ses poursuivants. Entre deux mouvements d'essuie-glaces, elle avait aperçu le visage du conducteur de la Porsche et celui-ci pouvait bien appartenir à l'un des médecins qui s'étaient occupé d'elle. Pas de doute : ces criminels étaient prêts à tout pour la récupérer. La récupérer, oui, mais dans quel but ? Que pouvait-elle représenter de si important pour eux ? Marlène subissait maintenant l'étrange pressentiment d'un évènement à venir. Sans véritablement en connaître la raison, elle restait là, immobile, en tirant sur sa cigarette pour mieux laisser filer le temps. Une sorte d'instinct animal la poussait à attendre quelque chose d'essentiel, de déterminant. Elle demeura ainsi, figée comme une louve à l'affût, jusqu'à ce qu'elle le vit apparaître au milieu d'une meute de clients vomie par les portes coulissantes de l'hypermarché. Marlène plissa les yeux pour s'assurer qu'elle ne rêvait pas. Non, c'était bien lui. Celui qu'elle espérait retrouver était venu faire ses courses au bon moment. En un instant, des sensations fugitives émergèrent de sa mémoire : un bel après-midi de printemps, une odeur de fritures et de barbes à papa, la fête foraine, les manèges, le souffle de la grande roue lorsqu'ils étaient passés tout près d'elle, les cris joyeux des enfants, les ballons multicolores érigés au-dessus des têtes de poupons et... la voix. La voix fluette et assurée, pas encore muée. Celle d'Alexandre, son fils, son petit garçon. Alexandre qui, ce jour-là, lui avait tiré sur la manche pour lui présenter le père de Stéphane, son meilleur ami. Toute cette scène demeurait intacte, imprimée à jamais dans son cerveau de mère blessée, et, comme chaque fois que l'image de son fils ressurgissait, elle frissonna en se mordant la lèvre pour ne pas pleurer.

Marlène sortit de la voiture et courut vers Maurice Burce.

— Marlène ? Mais qu'est-ce que vous faites là ? lui demanda-t-il en écarquillant les yeux.

— Allons chez vous, je vous raconterai. Je suis en danger. On a voulu me tuer. On vient de me tirer dessus.

— Vous tirer dessus ? Qu'est-ce que vous me dites là ? Vous êtes surmenée, votre imagination vous joue des tours. Il n'y a personne ici, regardez, tranquillisez-vous, tout va bien, dit Burce en écartant les bras tout en balayant le parking d'un regard circulaire qui se voulait rassurant.

Marlène désigna du menton sa Clio stationnée à une dizaine de mètres. De l'endroit où ils étaient, on visualisait parfaitement les impacts de balles sur la carrosserie et la vitre arrière en éclats.

— Et si ma voiture ressemble à une passoire, c'est peut-être aussi parce que mon imagination me joue des tours ?

— Bon Dieu, mais qu'est-ce qui vous est arrivé ? demanda Burce en mettant une main devant sa bouche.

— Je viens de vous le dire, on m'a tiré dessus.

— Mais quand ?... Qui ?... Pourquoi ?

— On devrait trouver un endroit plus sûr pour parler de tout ça, vous ne trouvez pas ? Je les ai semés, mais ils risquent de revenir d'un moment à l'autre.

— OK, OK, dit fébrilement Burce en agitant les mains de haut en bas en signe d'apaisement. Ne nous affolons pas, oui, c'est ça, surtout pas d'affolement. Bon, euh… Oui, vous avez raison, allons chez moi. Prenez vos affaires et montez dans ma voiture. Vous allez laisser la vôtre ici, on ne sait jamais, ils pourraient vous repérer.

22

*Pchchchch**alexjsuisalex**chchchchchch...*

— Arrête ça, merde, on l'a déjà écouté cent fois ! dit Roland à Jojo qui obtempéra immédiatement en appuyant à regret sur la touche stop du petit magnétophone.

— Avoue quand même que ça troue le cul, cette histoire ! Si ce curé Brune ne raconte pas de conneries dans son bouquin, les morts pourraient nous parler. Imagine un peu que ce soit bien ton fils qui parle depuis l'au-delà dans cet enregistrement, ce serait dingue, non ?

— Oui, pour une fois tu as trouvé le mot juste : complètement dingue, et il faut être complètement dingue pour pouvoir gober des conneries pareilles ! Dans une semaine je suis dehors, et la première chose que je ferai ce sera d'aller trouver ce maudit Raudive pour lui faire bouffer sa cassette.

— Tu as son adresse ?

— Burce saura me dire où le joindre. D'ailleurs, il faudra que je le voie, celui-là aussi, pour lui dire clairement ce que je pense de tout ce délire.

— Je te trouve bien sûr de toi.

— Bien sûr de moi ? À quel propos, bien sûr de moi ?

— Ben... à propos de tout ça : la possibilité d'une vie après la vie, les possibilités de communiquer... tout ça, quoi ! Tu as bien vu que même des scientifiques comme toi se posent la question, l'histoire de cette femme qui se fait opérer du cerveau et qui...

— Oui, ça, c'est autre chose, il ne faut pas tout confondre !

— D'accord, toub, mais si une forme de vie existe quand le cerveau s'arrête, pourquoi dans ce cas-là une communication ne serait pas possible ?

— Jojo, tu veux que je te dise un truc ?

— Oui.

— Tu m'emmerdes !

Jojo s'apprêtait à répondre quelque chose de cinglant, mais Roland ne lui en laissa pas le temps :

— Mon fils Alex est mort. Personne ne peut plus rien faire pour lui. Il faut s'occuper des vivants, laissons les morts reposer en paix ; je n'ai pas l'intention de vivre avec des fantômes, je trouve ça sordide et malsain. Ce qui m'inquiète maintenant, c'est de ne pas savoir ce qu'est devenue Marlène. Elle s'est de nouveau échappée alors que je la pensais en sécurité dans sa chambre d'hôpital et je n'ai vraiment aucune idée de l'endroit où elle a bien pu aller se réfugier. Elle doit recevoir des soins médicaux et j'espère qu'on la retrouvera avant que le pire n'arrive. Dans l'état où elle est, elle est vraiment capable de faire n'importe quoi !

Jojo se leva de son lit-banquette, enfila ses mules et se pencha en avant, les coudes sur les genoux. Il baissa la tête comme si une charge trop lourde s'était brusquement abattue sur lui. Durant tout ce temps Roland n'avait pas bougé d'un centimètre ; la position de lotus qu'il adoptait parfois était censée lui apporter la concentration nécessaire à la réflexion, mais là, depuis le début de cette conversation ennuyeuse, le but recherché était loin d'être atteint.

— Tu aimes ta femme et tu ferais tout pour elle, pas vrai ?

— Oui, bien sûr, je n'ai plus qu'elle qui me retienne dans ce bas monde. Il faut la retrouver et la soigner, ma petite Marlène… Et toi, je ne t'ai jamais posé la question, tu as quelqu'un dans ta vie ?

— Oui, c'est pour ça que je suis ici. Tu te rappelles, le premier jour, tu m'as demandé pourquoi j'avais pris dix ans et j'ai pas voulu te répondre.

— Je suppose que tu as tes raisons, d'ailleurs je n'ai pas insisté. Simplement je pensais que cela pouvait te faire du bien d'en parler. Personnellement je m'en fiche complètement.

— Ma femme a été violée sous mes yeux par deux voyous et je les ai fendus.

— Fendus ?

— Oui, fendus avec mon surin, sous la gorge, là, fit Jojo en traçant une ligne horizontale sur son cou avec l'ongle de son pouce.

*

Au même moment, Marlène Duquesne, assise dans le sofa du salon de l'appartement de Maurice Burce, songeait à son mari en évaluant l'effet produit par les phrases qu'elle venait de lui écrire. Elle aurait aimé le joindre, le rassurer au plus vite pour lui dire qu'elle était bien vivante et en bonne santé mentale car elle savait qu'il se ferait un sang d'encre en apprenant sa fugue, mais elle n'était pas parvenue à trouver la façon de rentrer en contact direct avec lui sans risquer de perdre une liberté obtenue à l'arraché. Elle avait songé un moment à faire de Burce un intermédiaire possible, mais avait dû finalement renoncer, devinant que Roland n'avait aucune raison de lui faire confiance. Non, le plus simple pour elle était de lui écrire une lettre postée par Burce d'un endroit éloigné de sa cachette actuelle car Marlène, qui ne voulait prendre aucun risque, acceptait de sortir très rarement de l'appartement.

Elle relut une nouvelle fois.

Mon chéri,
Je t'écris ce petit mot pour te tranquilliser.
Comme tu dois déjà le savoir (car il paraît que les nouvelles vont vite même en prison), je me suis échappée du service de ce docteur Flavière. Pour des raisons que j'ignore, on me droguait pour me retenir dans cet hôpital. Par prudence, je ne peux pas te dire où je me trouve

actuellement, mais n'aie aucune inquiétude, je vais bien et je ne suis pas folle, bien que ce médecin qui a essayé de me tuer d'abord avec des médicaments, puis avec une arme à feu (j'ai laissé ma voiture sur le parking devant le Carrefour de Labège, tu verras les traces des balles sur la carrosserie) semble vouloir prouver le contraire à tout le monde. Je sais que tu vas bientôt être libéré. Je te contacterai par téléphone à la maison le soir de ta sortie.

Sois très prudent. Ne parle à personne de cette lettre.

Je t'aime et je pense à toi. Courage, mon amour.

À très bientôt.

Marlène

Le salon de l'appartement de Burce ressemblait plus à une bibliothèque ou à un bureau qu'à une pièce à vivre. Il était éclairé par une large baie vitrée qui donnait sur la cour du lycée Saint-Sernin. Le sol en terre cuite encombré de tables qui disparaissaient sous une quantité impressionnante de paperasseries et de matériel électronique – ordinateur, photocopieur, imprimante, scanner – émergeait en une mosaïque de reflets ambrés allumés par la lumière rasante du petit matin. Je suis bien, ici, se dit Marlène en enfermant son précieux courrier dans une enveloppe sur laquelle elle déposa un tendre baiser. L'épouse de Roland se sentait plus détendue. Soulagée d'avoir quitté cette chambre d'hôpital, de ne plus être sous l'emprise de ce soit-disant docteur Flavière, elle trouvait très rassurante l'idée d'être hébergée par un homme aussi attentionné que Maurice Burce. Il avait été parfait, courtois, simple et à l'écoute. Depuis cinq jours qu'ils vivaient sous le même toit, la cohabitation forcée se déroulait à merveille. L'invitée de Burce partit dans la cuisine pour préparer le café. Il ne devrait pas tarder à se réveiller et il va avoir besoin de stimulants, se dit-elle en déposant de copieuses rasades de café moulu dans le filtre. Marlène, qui occupait la chambre de Stéphane, entendait parfois Maurice Burce se lever au beau milieu de la nuit, mais cette fois-ci, à en juger par le remue-ménage de ces dernières heures, l'insomniaque avait dû quitter son lit une bonne dizaine de fois avant de parvenir enfin à trouver un semblant de sommeil.

Les gouttes de nectar s'écoulèrent lentement dans le récipient en verre et Marlène, hypnotisée par cette régularité de sablier, repensa à leur conversation de la veille. Burce lui avait dit que ce qu'elle avait vécu dans sa chambre d'hôpital – cette sensation de sortir de son corps par le sommet de son crâne pour observer ce qui se passait au-dessous comme si elle s'était trouvée au plafond, à l'angle droit du plafond, pour être plus exact – était secondaire à un phénomène bien connu appelé « dé-corporation » ou « OBE » pour Out of Body Experience, que soit disant soixante millions de personnes sur cette planète auraient vécu cette expérience appelée « NDE », ou « Near Death Experience » en étant au seuil de la mort, que les témoignages affluaient, et que les expérienceurs – néologisme du mot américain « experiencer » que le psychiatre Raymond Moody avait employé le premier dans les années 70 pour désigner les acteurs de ces fantastiques « voyages » –, étaient considérablement changés après leur décorporation. La plupart prétendaient se détacher des biens matériels de ce monde pour se tourner vers l'essentiel : l'amour des autres, les valeurs humanitaires et la communication spirituelle. Certains parmi eux pouvaient même, selon lui, développer des facultés paranormales comme la médiumnité ou le pouvoir de guérir. Il lui avait aussi précisé que, classiquement, les personnes en état de mort imminente vivaient le plus souvent la même séquence évènementielle, et cela quelles que soient leur culture, leur philosophie ou leur religion. L'excursion au pays des morts se faisait presque toujours de la même façon : la sortie du corps, l'impression de bien-être extraordinaire, la traversée d'un tunnel, la vision d'une lumière dégageant un amour indicible, la rencontre avec des défunts, des guides ou des anges qui dialoguaient par télépathie, puis surgissait une limite, un point de non-retour qu'il ne fallait surtout pas franchir sous peine de ne plus jamais revenir – ce pouvait être un mur, une barrière, un grillage ou une simple haie –, et enfin le retour, qui se produisait en général douloureusement, péniblement, avec parfois une certaine nostalgie : les expérienceurs réintégraient leur corps par le sommet de leur crâne en se faufilant à l'intérieur de celui-ci comme l'aurait fait une main dans un gant. Marlène n'avait pas passé toutes les étapes décrites par Burce. Elle était sortie de son corps, avait été capable d'observer ceux qui la droguaient, mais n'avait connu ni le tunnel ni la lumière, et n'avait aperçu ni guides ni défunts. Non, rien de tout ça. Pourtant, d'après Burce, Marlène avait vécu une NDE, une NDE partielle, lui avait-il précisé, mais une NDE quand même.

Maurice Burce apparut sur le seuil de la cuisine. Avec son teint blafard, ses yeux cernés et sa coiffure défaite, il ressemblait à une entité venue d'un autre monde.

— Je ne vous demande pas si vous avez bien dormi, ironisa-t-elle en souriant.

Sans dire un mot, Burce prit place sur un tabouret devant le bol fumant que Marlène venait de disposer sur la table-comptoir à côté d'un toaster garni et d'un verre de jus d'orange. Il avala une gorgée de café et esquissa une grimace.

— Ouah ! Il est trop fort pour moi, celui-là… Vous savez, Marlène, j'ai pensé à un truc cette nuit.

— Ah bon ? fit-elle en ajoutant un peu d'eau tiède dans la cafetière.

— Oui, j'ai pensé que… Enfin, voilà, vous n'allez pas pouvoir rester indéfiniment ici à vous cacher. Il va falloir mettre les choses à plat. Pourquoi ne pas aller tout dire à la police ?

— Ah oui ? À la police ? Je n'ai aucune confiance en la police ! Et que croyez-vous qu'elle fasse, la police, si une cinglée échappée d'un hôpital lui dit qu'un éminent neurologue a essayé de la tuer, hein ? Vous pensez peut-être que l'on va remercier la cinglée et inculper le médecin pour tentative de meurtre ? C'est vraiment ça que vous pensez ?

— Oui, évidemment, vu sous cet angle…

— Moi aussi j'ai réfléchi. D'après tout ce que vous m'avez raconté sur mes agissements au cours de ma période amnésique, je n'ai plus qu'une solution à envisager : attendre que mon mari sorte de prison et essayer de le convaincre que ce qui m'est arrivé est bien réel pour qu'il puisse m'aider à prouver que je suis victime d'un complot.

— Et vous pensez qu'il vous croira ?

— Bien sûr, s'offusqua Marlène. Vous m'avez bien crue vous !

— Oui, en voyant votre voiture criblée de balles, mais sans cette preuve, j'avoue que j'aurais eu beaucoup de mal à admettre toute cette histoire.

— Lui aussi aura cette preuve. Tenez, en allant faire les courses, ayez la gentillesse de bien vouloir poster ceci très loin d'ici, dit Marlène en tendant sa lettre. Lorsque Roland recevra ce petit mot, il saura où retrouver la voiture et comment rentrer en contact avec moi.

Madame Duquesne ignorait une chose essentielle qui allait à l'encontre de son projet.

Au même moment, un camion de dépannage commandité par Flavière était sur le point de faire disparaître la preuve de son agression dans les eaux troubles du canal du Midi.

23

Cela faisait maintenant trois jours que Roland était sorti de prison et il traînait sa mélancolie en marchant le long des berges de la Garonne. La rue pavée qui bordait les quais renvoyait le reflet humide des immeubles éclairés par les néons des bureaux et des commerces. Il venait de pleuvoir et des odeurs de béton mouillé envahissaient les entrailles de la ville. De temps en temps quelques fenêtres de studios d'étudiants déversaient dans les rues des musiques branchées ou les informations télévisées du journal de 20 heures. Roland avançait comme un automate sans bien savoir où aller. Il avait l'impression que ses derniers espoirs s'étaient évanouis pour toujours car toutes ses pensées convergeaient vers cet instant où Marlène avait perçu le piège qu'il lui avait tendu. Bien sûr, il avait voulu croire au bien-fondé de cette lettre, à la réalité du complot de Flavière, à la poursuite en voiture, à l'attaque du médecin, aux coups de feu que celui-ci aurait tiré sur sa femme. Bien sûr. Mais il fallait se rendre à l'évidence : tout ça n'existait que dans l'imagination de Marlène. Il avait quand même tenu à vérifier par lui-même en arpentant en vain de long en large le parking du Carrefour de Labège, mais, comme il le craignait, la voiture de Marlène n'était pas là. Alors, ne sachant que faire, il était allé voir son ami Lombard, qui lui avait confirmé que sa femme était en période aiguë de psychose paranoïaque et qu'il n'y avait dans son intérêt qu'une seule solution à envisager : la retrouver au plus vite pour la remettre en traitement dans le service du docteur

Flavière. Une fois la décision prise, Roland n'avait eu aucun mal à faire venir son épouse dans ce petit bistrot de quartier où ils avaient l'habitude de se retrouver parfois lorsqu'ils étaient plus jeunes. Elle avait confiance en lui et n'avait même pas vu arriver les deux infirmiers dissimulés derrière elle. Marlène n'avait pas bronché. Les choses étaient allées très vite. L'un des deux hommes avait saisi son bras et l'autre avait injecté le sédatif. En quelques secondes, sa tête était tombée sur le côté comme celle d'un petit oiseau blessé. Mais avant, il y avait eu ce regard lancé à Roland. Ce regard terrible, mélange d'incompréhension et de résignation. Un regard rempli de toute la déception de l'infâme trahison.

Roland jeta un coup d'œil à sa montre : 21 heures. À cette heure-ci, Marlène doit encore dormir, se dit-il en soupirant. Ce matin, Gérard Flavière avait dit au docteur Duquesne que l'état psychologique de sa femme nécessitait une nouvelle cure de sommeil prolongé de quatre à cinq jours. Roland dirigea ses pas vers le centre-ville. Il se passerait de manger. Dans son état, impossible d'avaler la moindre nourriture. Marcher, il fallait marcher et ne plus rien faire d'autre. Marcher pour ne pas mourir de chagrin. Son cœur était aussi serré que son estomac.

*

21 h 10. Le docteur Flavière venait de faire le tour des patients de son service. Tout était en ordre. Il pénétra dans la salle de préparation des perfusions. Il savait par expérience qu'à cette heure-là l'endroit, déserté par le personnel de nuit, lui laissait le temps nécessaire pour effectuer sa petite préparation. Madame Duquesne en savait trop à son sujet et il avait décidé d'en finir une fois pour toutes avec elle. Il repéra immédiatement le plateau étiqueté qui lui était destiné et saisit le flacon dont le contenu devait s'écouler de minuit à 6 heures du matin. À l'aide d'une grosse seringue, il vidangea la moitié des 500 millilitres de la préparation pour les remplacer par le même volume d'un mélange de chlorure de potassium et de Sulfentanil. Si tout se passait comme il l'avait prévu, à 1 heure du matin Marlène Duquesne ne serait plus de ce monde.

24

21 h 30. Hasard ou pas, la promenade intuitive de Roland l'avait guidé devant une porte cochère sur laquelle était punaisée une affiche qui, pour une mystérieuse raison, attira l'attention du médecin. Il plissa les yeux pour mieux lire.

21 heures
Espace Le Cristal
Père François Brune : conférence sur la TCI
Henry Vignaud : séance publique de médiumnité

Roland avait terriblement envie de voir à quoi pouvait ressembler un prêtre qui était capable d'écrire les inepties que Jojo lui avait lues en prison. Piqué par la curiosité, il poussa une petite porte en bois qui donnait sur une cour intérieure. Devant l'entrée principale, une vieille dame attablée triait des liasses de carnets à souches. Elle jeta un œil mauvais vers lui en marmonnant des chiffres :

— 220, 221. Si vous venez pour la conférence, c'est trop tard, la salle est archi comble, on ne pourrait même pas faire rentrer un nain là-dedans. 222, 223, 224, 225...

— J'aurais bien aimé assister à cette conférence pourtant. Dites-moi, il s'agit bien du père Brune, celui qui a écrit le livre *Les morts nous parlent* ?

— Bien sûr, il n'y a pas trente-six pères Brune, que je sache !
231, 232, 233...

— Excusez-moi de vous importuner, mais une autre soirée est-elle prévue ?

— Non, désolée, c'est la seule prévue sur Toulouse. 238...

Soudain, la porte de la salle s'ouvrit et une jeune femme à l'abdomen rebondi sortit accompagnée d'un garçon affolé. La malheureuse grimaçait de douleur en se tenant le ventre.

— Ma femme a des contractions. Vous pouvez nous appeler un taxi, s'il vous plaît, nous n'avons pas de téléphone ? demanda le supposé futur papa.

— Quoi ? 252, non, 250... Oh et puis zut, j'ai perdu le compte ! Un taxi, oui, tout de suite, dit-elle en ajustant ses lunettes pour mieux lire les numéros mémorisés sur son portable.

Roland profita de l'incident pour se faufiler dans la salle.

Sur la scène, un homme de bonne prestance tenait son public en haleine. Manifestement, le départ précipité des deux jeunes gens avait dû semer dans l'assistance un trouble suffisant pour interrompre la prestation du conférencier. Le père François Brune était quelqu'un d'assez grand à l'allure débonnaire. Au-dessous d'un front largement dégarni roulaient des petits yeux pétillants d'intelligence. Difficile de lui donner un âge : soixante, soixante-dix ans, plus ? L'ecclésiastique se racla la gorge une ou deux fois et commença à parler. Aussitôt les chuchotements s'estompèrent pour faire place à un silence religieux.

— Bon, après ce petit intermède, nous allons pouvoir poursuivre, dit le père Brune en souriant. Imaginez qu'un jour, écoutant de la musique sur votre poste de radio, tout à coup une voix s'adresse à vous, vous appelant par votre nom et votre prénom, une voix que vous pouvez reconnaître comme étant celle de votre enfant disparu dans un accident, ou celle de votre mère, de votre femme, de votre mari, mort depuis longtemps. Imaginez que cette voix vous dise que désormais des contacts avec vous seront possibles sur un magnétophone, ou que, depuis l'au-delà, ce mort pourra vous envoyer son image sur votre écran de télévision. Quel choc ! Vous en seriez tout abasourdi. Mais, sans doute, prisonnier de toute notre culture, bientôt vous ressaisiriez-vous pour refuser de basculer dans l'absurde. Tout cela est impossible ! Je rêve, il s'agit sûrement d'une mauvaise plaisanterie.

« Et pourtant ! Si vous saviez !

« Les méthodes de transcommunication instrumentale ou TCI constituent une découverte fantastique ; une découverte qui devrait changer complètement nos rapports avec la mort, et donc avec la vie. Tous, nous serons confrontés un jour à la mort. Nous assisterons, impuissants, au départ d'un être cher, puis d'un autre, et d'un autre encore, jusqu'à ce que, finalement, notre tour arrive aussi de faire le grand saut dans l'inconnu. À chaque disparition ce sont des vies brisées, des parents complètement détruits, des femmes ou des maris qui survivent comme des zombies. J'ai rencontré tant de ces morts-vivants au cours de mes congrès à travers le monde !

« Les grandes religions parlent bien de survie, mais, il faut en convenir, depuis quelque temps leurs discours manquent un peu de conviction. Nos textes liturgiques dans l'Église catholique sont bien souvent pleins d'incohérence. Parfois, on nous dit que nos morts sont désormais dans la main de Dieu, à d'autres moments, on nous invite à prier pour eux afin de hâter la fin de leur purgatoire et, au bout du compte, on leur souhaite de reposer en paix en attendant la résurrection, au dernier jour. Comme s'ils allaient dormir sous la dalle pendant des siècles jusqu'à l'éternité ! Ici repose Untel. Ci-gît Untel !

« Les tombes sont vides. "Ici" ne reposent que de vieux vêtements, des restes de chrysalides. Mais les papillons, eux, se sont envolés depuis longtemps. On ne "met en terre" personne. Les morts ne vont jamais dans les caveaux. Ils n'ont rien à y faire.

« Depuis toujours, d'innombrables signes ont été recueillis qui semblent confirmer que la vie continue pour ceux qui nous ont quittés. Des messages ont été reçus par différents moyens, qui paraissent provenir vraiment de nos morts, vivant maintenant dans une autre dimension.

« Oh ! je sais, un discrédit général continue à peser sur toute prétention à communiquer avec l'au-delà, et je vais faire hurler tous nos rationalistes matérialistes. Ils veillent aux frontières du surnaturel pour en interdire l'accès. De quel droit, vont-ils dire, ai-je l'audace de me mêler d'un domaine qui ne regarde que la science ? Or, la science est formelle : lorsque telle partie du cerveau d'un individu est détruite, il se trouve aveugle ; une autre est atteinte ? le malade est sourd ; telle autre encore ? il est paralysé ou amnésique… Lorsque tout le cerveau est anéanti, il ne reste nécessairement plus rien d'une conscience humaine. L'homme est entièrement détruit ; il ne reste plus rien de lui. D'ailleurs, affirmer qu'il ne reste plus rien d'un homme parce qu'on ne voit plus rien de lui, c'est considérer comme acquis, comme évident que n'existe que ce qui tombe sous nos sens. Rares seraient aujourd'hui les scientifiques qui oseraient engager leur autorité sur une telle affirmation. À l'époque où l'on pense que la plus grande partie de la masse de l'univers nous reste invisible, où les particules ne sont plus que des ondes et où l'on nous parle de l'énergie du vide, les théologiens et les rationalistes en sont demeurés au scientisme du XIXᵉ siècle ! Au début de ce nouveau millénaire, cela commence à faire deux siècles de retard !

« Alors, vous vous demandez peut-être comment puis-je, moi, être aussi affirmatif dans la contradiction ? C'est que, en dehors même de ce que l'Église avait enseigné pendant tant de siècles, nous avons depuis longtemps, depuis toujours, quantité de signes de la survie immédiate après la mort. Au cours des derniers siècles, plusieurs savants de renom avaient même consacré à l'étude de ces signes une grande partie de leur temps et ils avaient déployé la même rigueur scientifique que pour leurs autres travaux. Des gens comme l'astronome Camille Flammarion, le physicien et chimiste William Crookes, le colonel Albert de Rochas, administrateur de l'École polytechnique, Charles Richet, prix Nobel de médecine, William James, professeur de psychologie et de philosophie à l'université Harvard, Thomas Edison, l'inventeur de l'ampoule électrique et des premiers phonographes, Guglielmo Marconi, qui a établi les premières communications radio...

« Mais il est vrai que leurs travaux n'avaient pas obtenu la reconnaissance nécessaire pour faire reculer le matérialisme dominant. Ces scientifiques ont été loués, admirés à travers la planète pour leurs découvertes dans la mesure où elles avaient des applications directes dans notre monde matériel, mais leurs recherches sur le monde des esprits sont passées sous silence comme s'il s'agissait de faiblesses un peu honteuses. Cependant, paradoxalement, au fur et à mesure que les théologiens abandonnent la croyance en la survie immédiate, les signes qui tendent à prouver celle-ci se multiplient, comme pour rétablir l'équilibre des influences où notre liberté peut se déployer. Je veux parler d'abord de ces expériences aux frontières de la mort de gens que l'on avait cru morts et qui sont revenus à la vie de ce monde, spontanément ou grâce à nos techniques modernes de réanimation. Nous avons aussi maintenant des rapports sur des cas semblables, vécus hors de nos cultures occidentales, et certains, même, bien avant la publication des premières études sur ce sujet. Nous avons également des études sérieuses menées sur des cas de personnes qui étaient aveugles au moment où elles ont fait cette expérience de sortie du corps ; certaines voyaient pour la première fois, d'autres retrouvaient une vue qu'elles avaient perdue depuis longtemps. Une vision qui est d'ailleurs encore plus précise que la nôtre et beaucoup plus étendue, qui leur permet, après avoir retrouvé leur existence terrestre et leur cécité, de faire une description précise et vérifiable de ce qu'alors elles ont pu observer.

« Parallèlement à ces expériences et à ces recherches, un phénomène extraordinaire s'est développé depuis quelques années dans le monde entier : un peu partout, on reçoit sur de simples magnétophones des voix qui s'adressent à nous en nous appelant par nos noms, faisant référence à des souvenirs précis de notre passé, ou faisant allusion à ce que nous venons de faire ou de dire comme si quelqu'un d'autre, que nous ne pouvions voir, avait été là, près de nous. Des images apparaissent sur des écrans de télévision, souvent un peu floues, mais parfois aussi très nettes et faciles à reconnaître ; des textes se trouvent remplacés par d'autres, directement par l'imprimante d'un ordinateur, sans rien changer dans celui-ci ; la voix du speaker, à la radio, s'interrompt soudain pour faire place à une autre voix, qui s'adresse directement à l'auditeur. Ces phénomènes extraordinaires, je ne les invente pas comme ça, au hasard. J'en ai eu le récit directement des personnes auxquelles cela était arrivé. Je les ai suffisamment approchées ainsi que leur entourage pour être personnellement convaincu de leur honnêteté. D'ailleurs, tous ces phénomènes se sont maintenant tellement développés qu'ils font l'objet de recherches systématiques. J'ai assisté à quantité d'essais de communication avec l'au-delà, à travers le monde. J'ai participé à bien des congrès en divers pays. Je connais les risques d'erreurs, les problèmes d'interprétation, comme d'ailleurs tous les scientifiques qui se sont penchés sur le problème et auprès desquels j'ai puisé toutes mes informations. Ce sont des phénomènes complexes, sans doute, et nous n'avons peut-être pas uniquement affaire, chaque fois, à des communications avec nos morts, vivant dans l'au-delà. Mais enfin, le fait est là. Dans la plupart des cas, si l'on examine attentivement toutes les circonstances, la seule interprétation rationnelle qui tienne, c'est bien d'admettre que nous avons d'authentiques contacts avec ceux que nous ne voyons plus mais qui vivent dans une autre dimension et viennent parfois nous visiter.

« Beaucoup de livres ont paru sur la question, traduits en de nombreuses langues. Il existe même maintenant des revues spécialisées sur ce sujet, des associations dans plusieurs pays. Et pourtant, malgré tous ces efforts, cette découverte fantastique reste pratiquement confinée à quelques initiés. La pénétration dans le grand public reste très faible. Les chaînes de télévision, la plupart du temps, n'abordent le sujet que sous l'angle de la dérision. Le contraste entre une découverte aussi fantastique et sa maigre diffusion a quelque chose d'absolument scandaleux. Il s'agit pourtant d'un phénomène bien plus important que la bombe atomique ou à neutrons – qui ne sont que des engins de mort –, bien plus important que n'importe quelle découverte médicale ne concernant que la prolongation de cette vie qui, de toute façon, un jour finira. Il s'agit ici de notre É-TER-NI-TÉ, de la preuve que, peu à peu, notre vie continue immédiatement, à travers la mort, sans interruption aucune, n'en déplaise à nos théologiens ; et sans perte de notre identité, n'en déplaise cette fois à certaines philosophies orientales.

« Les résultats des études scientifiques sur la question ne sont pas dénués d'intérêt. On a par exemple repéré que la fréquence des voix enregistrées pouvait atteindre 4 000 et même presque 6 000 hertz, soit une valeur bien supérieure à celle de la voix humaine. Le célèbre contre-*fa* de la Reine de la Nuit dans *La Flûte enchantée* n'est qu'à 1 400 hertz ! Le plus extraordinaire étant qu'à l'oreille ces voix restent dans les limites les plus habituelles, comme si elles ne dépassaient pas les 100 ou 200 hertz. Il semble aussi, d'après plusieurs études menées en divers pays, que souvent, mais pas toujours, les fréquences fondamentales sont totalement absentes, ce qui tendrait à prouver que ces sons ont été émis sans cordes vocales. Toutes ces recherches ne font que confirmer le caractère paranormal de ces phénomènes, et ne nous permettent pas encore de comprendre comment nos chers disparus peuvent s'y prendre pour les produire. Dans ce domaine, les recherches progressent dans un climat de suspicion, d'accusations fort pénibles mais sans doute inévitables. On retrouve la même situation dans les études sur les expériences aux frontières de la mort, sur les ovnis ou sur les extraterrestres. Vous avez entendu au début de cet exposé, avant le petit incident qui a fait momentanément interrompre mon propos, une série de voix enregistrées par nos amis Christophe Barbe et Yves Lines ; vous avez pu constater la netteté du son obtenu lors de ces contacts. Un jour, sans doute, tout cela paraîtra banal. Ces communications se seront tant multipliées qu'elles seront devenues une évidence. Alors, bien sûr, les hommes continueront à mourir et ceux qui devront rester sur cette terre pour un temps encore continueront à souffrir de cette séparation momentanée, mais la mort ne sera plus la même. Puisse ce temps venir bientôt… le plus vite possible.

« Je vous remercie de votre attention.

Récompensé par les applaudissements nourris de son public, le père Brune descendit les marches du podium pour se rendre au pupitre destiné à une séance de dédicaces. Des personnes agglutinées l'attendaient déjà avec un livre à la main. On annonça au micro quinze minutes de pause avant l'intervention du médium prévue à 23 heures.

Si, à ce moment de la soirée, Roland avait eu à faire un bilan de la prestation du père Brune, il aurait été plutôt positif. Les arguments étaient clairs et presque convaincants. Et puis, il y avait cette notion de fréquence vibratoire qu'il ignorait totalement : les voix enregistrées étaient émises avec des fréquences différentes de celles d'une voix humaine ; ça, c'était du concret, du mesurable, du scientifique. Malheureusement inexplicable, mais semble-t-il bien réel, à moins que ce prêtre soit un imposteur et raconte des salades pour vendre ses livres, pensa encore Roland, comme s'il voulait se rassurer devant l'énormité de la chose en dialoguant avec un autre lui-même qui aurait voulu croire le phénomène possible. Il demeurait pour le moins sceptique et décida d'assister à la séance du médium. Après tout, il n'avait jamais vu comment travaillait un médium et personne ne l'attendait. C'était une occasion unique qui ne se reproduirait certainement jamais plus car, c'est sûr, Roland n'aurait jamais déboursé un seul euro pour voir un médium, pour la simple et bonne raison qu'il ne croyait absolument pas en leur pouvoir.

*

148

23 h 10. L'infirmier de nuit releva les constantes hémodynamiques de madame Duquesne sur la feuille de surveillance. Le cœur de la patiente battait régulièrement, sa tension artérielle était stable et l'oxymètre de pouls affichait une bonne saturation. La respiration était régulière. Il lui souleva les paupières et nota que les pupilles étaient normales et le sommeil, profond. Il vérifia le niveau de la perfusion qui était légèrement en retard sur l'horaire prévu et accéléra son débit. Dans moins d'une heure, il reviendrait changer le flacon.

25

Henry Vignaud dut commencer sa séance avec un bon quart d'heure de retard car le père Brune avait été harcelé de questions après sa conférence.

Le médium était assis face au public, ses coudes sur une petite table ; ses mains cachaient son visage. On ne pouvait voir de sa tête qu'une partie de son front crispé encadré par une abondante chevelure brune. Il semblait se concentrer à la recherche d'invisibles vibrations. De temps à autre, son regard noir émergeait pour balayer la salle avant de disparaître de nouveau. L'assistance était muette, on aurait pu entendre le moindre chuchotement.

Qu'est-ce que je fais ici ? se demanda Roland.

Tout à coup, Henry Vignaud se redressa et tourna sa tête vers le côté droit de la salle. Il interpella une jeune femme qui se leva aussitôt.

— Vous, madame, avec le chemisier noir... oui, c'est ça, vous... Non, restez assise... voilà, merci... Je vois à côté de vous un petit garçon... il a environ huit ans... il est blond... Il est parti de l'autre côté il n'y a pas très longtemps, n'est-ce pas ?

— Oui, c'est mon fils Fabien, il est décédé il y a aujourd'hui quatre mois, il n'avait que sept ans, répondit la maman très émue.

— C'est ça. Écoutez, il va très bien et il vous fait de grosses bises. Il sautille sur une jambe, à cloche-pied, je ne sais pas pourquoi il fait ça.

— Il adorait jouer à la marelle.

— Ah, c'est pour ça, oui, je comprends maintenant, répondit Vignaud en souriant.

Roland aussi souriait, mais pas pour la même raison : *Il a eu de la chance de tomber juste pour l'enfant. Enfin, il est surtout logique, une femme aussi jeune qui fait la démarche de venir dans une soirée comme celle-ci en portant le deuil ne peut qu'avoir perdu un enfant ou un mari. On peut aussi déduire l'âge de l'enfant en fonction de l'âge de la mère. Pour le sexe, il avait une chance sur deux, quant à la marelle, tous les gamins y jouent !*

— Il tourne autour de moi, il tourne autour de vous, il rigole, il était très gai et très turbulent, non ?

— Oui, c'est exact… très turbulent et très coquin, dit la jeune femme en alternant rires et sanglots.

Très turbulent et très coquin, tu parles, tous les enfants le sont à sept ans ! Il ne prend pas trop de risques, le médium !

— Il revient vers moi, il me montre quelque chose, un jouet… non, ce n'est pas exactement un jouet, c'est un ours, un petit ours en peluche bleue… Pourquoi fait-il ça ? Vous comprenez pourquoi il fait ça ?

— Oui, cet ours en peluche bleue était sa mascotte, je lui ai mis cet ours dans son cercueil et je… excusez-moi…

— Ne pleurez pas, madame. Il me dit comme ça : « Maman, faut pas qu'elle pleure, elle pleure trop souvent », qu'il me dit.

Bon, j'ai compris, on a affaire à un numéro de cabaret et cette femme est sa complice. C'est trop facile, ils prennent vraiment les gens pour des gogos ! Je m'en vais, j'en ai assez vu ! rumina le docteur Duquesne en s'acheminant le plus discrètement possible vers la sortie.

Henry Vignaud l'interpella aussitôt :

— Attendez, monsieur, ne partez pas, s'il vous plaît ! Monsieur ?

— Qui, moi ? s'étonna Roland en se retournant.

— Oui, vous. Revenez vous asseoir, s'il vous plaît. Il y a une entité qui insiste pour que je communique avec vous. Quelque chose de très important, me dit-on à l'instant à l'oreille.

Puis, s'adressant à la mère endeuillée, il ajouta :

— Je suis désolé, madame, mais la communication avec votre fils est coupée, mon guide m'oblige à m'occuper de ce monsieur maintenant. Il semble qu'il y ait urgence.

— Oh, mais ça ne fait rien, je suis très heureuse pour le message que vous m'avez donné. C'est magnifique. Merci, merci infiniment.

Pris par l'émotion de l'instant, Roland se sentit obligé de regagner sa place, mais il le fit à contrecœur.

Qu'est-ce qu'il va bien pouvoir me dire, ce saltimbanque de malheur ? Que je jouais aux dominos quand j'étais petit ?

— L'entité qui est derrière vous est un jeune homme d'une vingtaine d'années, dit Henry Vignaud en fronçant les sourcils.

— Ah bon ? fit Roland sur un ton ironique, en pensant : cause toujours, tu m'intéresses.

— Oui, c'est ça, une vingtaine d'années, vous ne voyez pas qui cela peut-il être ?

— Non, désolé, je ne suis pas voyant !

L'humour de Roland tomba à plat et il n'y eut aucun rire dans le public. Le médium poursuivit :

— Il s'agit d'un jeune homme sportif, il me montre un sac de sport ou plutôt… oui, c'est ça : un sac de montagne. Il faisait de la montagne. Vous ne voyez toujours pas ?

— Non, désolé, je ne vois pas du tout.

Le portrait qu'il me fait ressemble à celui de Stéphane, mais je n'ai pas du tout envie de le lui dire. Ce ne peut être qu'une simple coïncidence !

— Vous êtes sûr ? Il insiste beaucoup, il me montre sa tête, il a eu la tête écrasée, qu'il me dit. C'est pour vous, monsieur, qu'il est venu.

— Non, ça ne me dit rien.

La tête écrasée, ça irait pour Alex, mais pas pour Stéphane. C'est bien la preuve qu'en réfléchissant un peu on trouve toujours des explications à n'importe quoi.

— Ce n'était pas un accident, qu'il me dit.

— …

— Bon, si cette entité ne vous évoque rien, je vais la laisser repartir, monsieur. Vous réfléchirez chez vous, je suis sûr que vous allez trouver. Parfois, sur le moment, les gens ne voient pas, et puis après, au calme chez eux, ils trouvent. Voilà, monsieur… Ah, attendez, il me donne un prénom, son prénom… j'entends Stan… fan… Stafan... Stéphane ?

— Stéphane, oui, c'était l'ami de mon fils qui s'est tué dans un accident de montagne il n'y a pas longtemps.

Là je suis complètement bluffé !!! Comment peut-il savoir ça ?

— Aaaah, eh bien voilà, monsieur !!! Vous voyez, on y est arrivé quand même !

La salle s'anima d'un brouhaha de satisfaction. Roland sentit ses jambes se dérober et ses yeux se voiler.

Comment est-ce possible ? Quelqu'un a dû faire une enquête sur moi. Mais non, c'est impossible, personne n'aurait pu deviner que j'allais venir jusqu'ici.

Le médium perçut l'émoi de son interlocuteur car sous l'effet de la surprise le visage de Roland avait pâli d'un seul coup.

— Et maintenant, monsieur, Stéphane me montre une sorte de bateau, un long bateau en fait, une péniche, oui, c'est ça, une péniche, avec des inscriptions chinoises dessus. À une centaine de mètres plus loin, il y a un gros chêne tordu et il me montre cet arbre.

*

23 h 50. L'infirmier de nuit se dirigea vers la chambre de madame Duquesne. Il portait un plateau qui contenait le matériel de désinfection nécessaire à la mise en place du nouveau flacon de perfusion.

*

Henry Vignaud ferma les yeux et baissa la tête avant de poursuivre.

— Juste en face de ce gros arbre tortueux, Stéphane me désigne le fond d'un fleuve, il me fait signe de l'accompagner. Voilà, je suis avec lui, dans l'eau, tout au fond de l'eau. C'est rigolo, ça, l'eau est trouble, mais je vois quand même à travers. J'avance… Il insiste vraiment pour que je le suive mais c'est difficile. Ah ! je vois quelque chose de métallique et de plat. En fait c'est le toit d'une voiture. Il me montre des orifices dans la carrosserie, je ne comprends pas ce que c'est. Des espèces de petits trous, et il me parle de poissons… Non, pardon, de poison. Empoisonnement, qu'il me dit. J'avoue ne pas très bien comprendre, tout cela est tellement embrouillé… Et ces trous, je ne vois pas du tout ce que c'est.

— Des impacts de balles ? demanda Roland le cœur battant.

— Oui, ça pourrait correspondre à ça. Peut-être, oui, les trous sont ronds et petits. Il y en a plusieurs à l'arrière de la voiture…

Bon sang, et si Marlène avait dit vrai ? Si on lui avait réellement tiré dessus après avoir tenté de l'empoisonner. Et si ce médium était vraiment capable de voir ce qui s'était passé ?…

*

0 h 10. L'infirmier de nuit referma la porte de la chambre de Marlène en ignorant que la perfusion qu'il venait de brancher à sa patiente était en train de la tuer doucement.

*

Sans vouloir en savoir davantage, Roland quitta la salle. Il sentait qu'il fallait aller vite et que sa femme était en danger. Dehors, un homme au teint basané discutait avec la guichetière qui avait enfin réussi à comptabiliser ses bordereaux de caisse. Il leur demanda un taxi, et elle lui répondit qu'il ne pouvait pas mieux tomber, vu que le monsieur qui était là avec elle était en fait son cousin et que celui-ci, ayant perdu son travail après l'explosion d'AZDF, se transformait volontiers en chauffeur dans ce genre d'occasion pour pouvoir nourrir sa famille.

— S'il vous plaît, emmenez-moi au plus vite au CHU de Rangueil, dit Roland en tendant fébrilement vers lui un billet de 50 euros.

— Ne vous inquiétez pas, monsieur, ce soir, je suis le spécialiste des urgences, je viens justement de porter là-bas une jeune dame qui était sur le point d'accoucher.

*

0 h 20. Marlène s'échappa de son sommeil. La brûlure intense qui venait de la réveiller parcourut son bras et atteignit lentement son épaule comme l'aurait fait le venin d'un terrible cobra. Elle ressentit presque aussitôt une violente pression au niveau de la poitrine. L'énorme poids écrasait sa cage thoracique en lui broyant les côtes. Sous l'effet de cette atroce douleur, elle voulut ouvrir les yeux et crier. Mais rien à faire, son cerveau ne contrôlait plus rien. Impossible de bouger. Elle se dit : Je suis en train de mourir, et sortit de son corps par le sommet de son crâne.

*

Dès que le docteur Duquesne exhiba son caducée, la barrière de l'entrée principale du CHU s'éleva pour laisser passer la vieille Peugeot qui s'immobilisa une poignée de secondes plus tard devant les urgences de nuit. Roland descendit et ordonna à son chauffeur, qui pour cette circonstance s'était transformé en véritable pilote de rallye, de l'attendre là car il reviendrait dans quelques minutes, accompagné de sa femme. Il traversa le hall au petit trot en bousculant des chariots sous les regards réprobateurs des infirmières qui réceptionnaient des blessés. Elles lui demandèrent où il allait comme ça, aussi vite, et il se contenta de répondre qu'il avait une urgence en brandissant sa carte professionnelle. Une fois dans l'ascenseur, Roland appuya sur la touche du cinquième étage. Il souffla un peu en fermant les yeux. Dans quelques secondes, il serait auprès d'elle.

*

0 h 45. Marlène fut aspirée à une vitesse fulgurante vers le centre d'une spirale multicolore. Elle s'engouffra alors dans une sorte de tube sombre qui devenait de plus en plus étroit. Elle eut une pensée pour son mari et se retrouva immédiatement à ses côtés. Lui ne la voyait pas, plus exactement il ne la percevait pas en tant qu'entité car elle était invisible. Il était dans la chambre près du corps inanimé de sa femme. Elle aussi pouvait voir son propre corps étendu sur le lit électrique. Ce corps rabougri et maladif lui fit pitié. Marlène observa Marlène, mais la véritable Marlène avait quitté son ancienne enveloppe pour assister à son départ terrestre, du moins ce fut ainsi qu'elle perçut les choses à cet instant précis. Soudain, une alarme se déclencha et le tracé du moniteur cardiaque prit une allure bizarre en alternant une série de hauts pics rapprochés. Roland sortit comme une furie et interpella l'infirmier de garde :

Je suis anesthésiste, ma femme est en train de mourir, il me faut un défibrillateur, vite, il n'y a pas une seconde à perdre !

Marlène quitta les lieux et se retrouva de nouveau dans le tube, mais cette fois-ci sa progression fut beaucoup plus rapide. Elle fila là-dedans à une vitesse incroyable. Elle se retourna et vit un très long cordon d'argent qui la reliait encore à la planète bleue. Elle se remémora sa discussion avec Burce au sujet des NDE et de ses anciennes expériences de décorporation. Cette fois-ci, c'était bien différent de ce qu'elle avait vécu jusqu'alors ; elle n'était pas simplement sortie de son corps, mais, propulsée dans ce tunnel obscur, elle évoluait dans une autre dimension, et, si tout se déroulait bien comme lui avait dit Burce, elle apercevrait sans doute bientôt la douce lumière d'amour et, qui sait, peut-être aussi des défunts qu'elle pourrait reconnaître. *Pourquoi pas Alexandre ? Ce serait vraiment formidable !* Elle n'avait pas peur et était même impatiente de progresser pour raccourcir l'attente de ces rencontres. Et puis elle arriva. Au début, toute petite, punctiforme, presque insignifiante. Ensuite énorme, éclatante, enveloppante, aimante, chaleureuse, tolérante, accueillante, bienveillante, attentive, indescriptible, ineffable : la merveilleuse, la divine lumière d'amour. Des chants magnifiques retentirent et tout s'éclaira d'une douceur indicible. Des silhouettes longilignes apparurent. Elle reconnut certains visages qui rayonnaient de bonheur ; ses parents, ses grands-parents et tous ses ancêtres qu'elle n'avait vus qu'en photo. Et tous ces êtres communiquaient avec elle sans parler. Par télépathie, ils lui disaient qu'elle était la bienvenue et que désormais elle serait très heureuse car ici le malheur n'existait pas.

*

0 h 50. Roland appliqua pour la troisième fois les deux spatules enduites de gelée sur le thorax de Marlène et dit à l'infirmier : On va essayer plus fort ce coup-ci, allons-y pour 400 joules !

Le sifflement de la montée en puissance du défibrillateur retentit de nouveau, et lorsque les diodes atteignirent le repère des 400 joules, une sonnerie aiguë retentit. Roland appuya sur le bouton rouge de la poignée et le petit corps de Marlène sursauta.

Nouvelle secousse cardiaque, nouvel espoir... Nouvel échec.

— Allez me chercher un flacon de BiNa à 14‰, on va remplacer cette perf ! ordonna Roland en clampant la tubulure.

Il vérifia les pupilles et vit avec effroi que celles-ci commençaient à se dilater. Ce signe clinique témoignait d'un début de souffrance cérébrale induit par un bas débit sanguin.

Cela signifiait aussi qu'il fallait débuter sans tarder un massage cardiaque associé à une ventilation artificielle.

*

Des êtres lumineux accompagnèrent Marlène devant un mur de cristal et lui firent comprendre qu'au-delà de cette limite le retour ne serait plus possible. L'autre monde se trouvait de l'autre côté. À cet instant, elle comprit tout et eut l'omniscience. Elle allait franchir sans regret cette ultime étape quand une nouvelle silhouette apparut pour lui demander de faire demi-tour. Elle protesta énergiquement car elle n'en avait aucune envie. Pour répondre à sa contestation, Stéphane sortit de la frontière translucide et lui dit que son fils Alexandre avait besoin d'elle et qu'elle ne pourrait l'aider qu'en revenant sur terre. Alors, sans vraiment savoir ce qui l'attendait ni ce qu'il fallait faire du reste de sa vie, Marlène repartit aussitôt.

*

0 h 51.

On y est, docteur, c'est gagné : elle est revenue en rythme sinusal ! s'exclama l'infirmier à l'issue du quatrième électrochoc.

Le cœur de Marlène battait à un rythme régulier, sa tension était normale, sa respiration était calme et son teint était redevenu rosé.

— Bon, qu'est-ce qu'on fait maintenant, docteur ?

— Après ce qui vient de se passer, je pense que vous serez d'accord avec moi pour reconnaître que l'état de santé de ma femme relève davantage d'un service de cardiologie que d'un service de neurologie, non ?

— Vous voulez qu'on la transfère cette nuit ?

— Bien sûr, elle peut repasser en fibrillation à n'importe quel moment, il faut lui trouver une place en réa-cardio sans attendre une minute de plus.

— Comme vous voudrez... Bon, moi, je vais prévenir le chef de service et je vais aussi téléphoner en cardio pour voir s'ils ont une place. Vous m'attendez ici, docteur ?

— Oui, je préfère la surveiller pendant que vous organisez tout ça. Prenez votre temps, il faut que tout soit fait dans les règles.

— Pas de problème, docteur, dit l'infirmier en sortant de la chambre.

Après ce qu'il venait de vivre, Roland n'avait aucune envie de laisser son épouse à la merci de Flavière. De plus, il savait pertinemment qu'un simple transfert en réanimation cardiologique ne pouvait être suffisant pour la mettre hors de sa portée.

Comment la sortir de là ? Impossible de dire mes soupçons sur les agissements de Flavière à cet infirmier, il ne me croira jamais ! se dit-il en se rongeant un ongle. En mettant l'ancien flacon de perfusion dans la poche de son imperméable, il se rappela soudain ce fauteuil roulant abandonné dans le couloir près de l'ascenseur.

Quelques minutes plus tard, lorsque l'infirmier revint, il découvrit avec stupeur que la chambre était vide.

Au même instant, le chauffeur de la Peugeot, qui s'apprêtait à partir, vit sortir du hall des urgences le « client » tant attendu. Le docteur Duquesne poussait à toute allure dans sa direction un fauteuil roulant sur lequel se tenait tant bien que mal une femme endormie qui dodelinait de la tête.

— Allez, aidez-moi, il faut l'allonger sur la banquette arrière, dit Roland.

— Et, attendez, qu'est-ce que vous voulez faire ? Je veux pas avoir d'emmerdes, moi. Elle dort, cette gazelle ! protesta le chauffeur.

— Oui, elle dort, et alors ? Dépêchez-vous sinon on va se faire remarquer et on aura tous les deux de véritables emmerdes, comme vous dites, ajouta Roland en désignant du menton un petit groupe d'infirmières qui les observaient de loin.

— Écoutez-moi, monsieur, je veux pas être complice d'un enlèvement. Je suis désolé, je m'en vais, dit le Marocain en mettant le contact.

Mais Roland insista en s'accrochant de toutes ses forces à la poignée de la portière comme pour l'empêcher de partir.

— Je vous en supplie, ne nous laissez pas là. Je suis médecin, la femme qui est avec moi est mon épouse, je dois la conduire de toute urgence à la clinique Saint-Jean, c'est l'endroit où je travaille. Ici, elle est en danger de mort. Je vous en prie, faites-moi confiance !

Le chauffeur remarqua qu'une des infirmières montrait du doigt son taxi à un homme en blanc qui avait les poings sur les hanches. Le Maghrébin scruta un instant les yeux de Roland et obtempéra enfin. Il savait lire dans le regard des hommes et ce qu'il vit ne lui fit pas peur.

— Allez, vous avez gagné, j'embarque tout le monde, dit-il en soupirant.

26

Roland n'eut aucun mal à faire accepter Marlène dans le service de réanimation de la clinique Saint-Jean. Dans cet établissement, tout le monde connaissait le sérieux et les qualités professionnelles de l'anesthésiste, si bien qu'une fois dans le taxi, deux coups de fil donnés depuis le portable de son chauffeur suffirent au médecin pour que l'admission de sa femme soit organisée dans les meilleurs délais.

La Peugeot roulait dans un épais brouillard tandis que le Marocain, crispé sur son volant, cherchait désespérément la sortie 18 de la rocade qui devait les mener à Saint-Jean. Le docteur Duquesne était terriblement inquiet. Les doigts de sa main droite fixés sur le poignet de Marlène cherchaient les pulsations de l'artère radiale. Jusqu'à maintenant, le pouls était stable et régulier, « un pouls bien frappé », comme on dit dans le jargon médical, mais le réanimateur savait bien qu'en l'absence du matériel nécessaire il lui aurait été tout à fait impossible de faire face à une nouvelle défaillance du rythme cardiaque. La tête inanimée de Marlène reposait sur les genoux du docteur Duquesne. Il remarqua la blancheur et le grain de sa peau, s'attarda un instant sur la longueur de ses cils, et fut ému de toute cette fragilité offerte et abandonnée pareille à celle d'un petit oiseau tombé du nid. Il lui releva un peu les cheveux pour mieux voir son visage, qu'il caressa tendrement. « Tiens bon, ma chérie, on va bientôt arriver », murmura-t-il plein d'espoir à son oreille, et l'espace d'un instant il crut voir se dessiner l'ébauche d'un sourire sur les lèvres de sa femme.

S'il n'y avait pas eu l'intervention de ce médium, il faut bien reconnaître qu'à l'heure qu'il est Marlène serait déjà morte. C'est incroyable, ça : un médium a sauvé ma femme ! C'est complètement dingue, cette histoire !! Qui aurait pensé que ce soit possible ? Certainement pas moi ! J'espère qu'elle aura la force de me pardonner. Je l'ai trahie. Non seulement je ne l'ai pas crue, mais en plus je l'ai livrée moi-même aux griffes de cet empoisonneur. Quel idiot je fais ! D'ailleurs, on va bien voir ce qu'il lui a administré, ce fou. Demain j'emmènerai le flacon de perfusion au labo pour l'analyse. Si on peut identifier un toxique quelconque, je jure devant Dieu que je tuerai cet enfoiré de mes propres mains ! Il y a quand même une chose essentielle que je n'arrive pas à comprendre : pourquoi Flavière voudrait-il tuer ma femme ? Dans les romans policiers, mis à part les psychopathes, tous les meurtriers ont des mobiles ! En fin de compte, Flavière est peut-être un psychopathe, qui sait ?

Roland en était là de ses réflexions lorsque le Marocain donna un coup de volant sur sa gauche pour pénétrer sous le porche de la clinique Saint-Jean.

27

L'hospitalisation de Marlène dura moins de vingt-quatre heures. N'étant plus soumise aux perfusions de sédatifs, madame Duquesne se réveilla quelques heures seulement après son admission et Roland, qui avait passé la nuit à son chevet, put constater avec soulagement que son organisme ne portait aucune trace de son accident cardiaque. Grâce au ciel, elle n'a aucune séquelle cérébrale, pensa-t-il après l'avoir écouté parler. Bien qu'il eût été plus raisonnable de garder Marlène quelques jours en observation sous monitoring cardiaque, comme l'avait d'ailleurs vivement conseillé le cardiologue de garde, on la laissa partir chez elle de bonne grâce. Elle insista tellement pour sortir que Roland n'osa pas la contredire : après ce qu'elle venait de vivre, il en conclut que c'était la meilleure attitude à avoir.

Le docteur Duquesne se souviendrait longtemps du deuxième soir qui suivit cette courte hospitalisation.

Marlène était effondrée sur le sofa du salon, abasourdie par la nouvelle que Roland venait de lui apprendre après avoir donné un énième coup de fil au laboratoire de biologie : le flacon de perfusion contenait un mélange mortel de morphinique et de chlorure de potassium ! Le couple assimilait péniblement ce nouveau coup de massue lorsque le docteur Lombard sonna à la porte. Le psychiatre ne venait pas leur faire une simple visite de courtoisie, mais s'était déplacé tardivement chez eux pour leur annoncer un autre scandale passé aux actualités télévisées du journal de 20 heures.

Michel Lombard remonta ses lunettes et tira sur son nœud papillon avant de leur dire :

— Je suppose que vous n'avez pas regardé la télé ce soir ?

— Non, pourquoi ? Assieds-toi, moi aussi j'ai quelque chose de très important à te dire, je viens de téléphoner au labo et…

Lombard ne laissa pas Roland finir sa phrase.

— Et ta femme a manqué se faire tuer par Flavière. Je sais, je suis au courant, tout le monde en fait est au courant, même la police : un mélange de morphinique et de chlorure de potassium, c'est ça ?

— Oui, c'est bien ça… fit Roland étonné tout en sortant deux verres à whisky d'une vieille armoire Empire tandis que Marlène, qui venait de se redresser, lui fit un petit signe de la main pour lui signifier qu'elle ne voulait rien prendre.

— Parce que figure-toi que ton petit copain du labo à qui tu as tout raconté, quand il a vu les actualités du JT de 20 heures, comme il avait déjà analysé le contenu du flacon, il a fait ni une ni deux, il a tout balancé aux flics. Il ne te l'a pas dit ?

— Quoi, qu'il avait parlé à la police ? demanda Roland en servant deux copieuses doses de bourbon.

— Oui.

— Après de multiples appels j'ai finalement réussi à avoir le laborantin de garde. J'ai trouvé curieux d'ailleurs que ce soit lui qui m'informe de ça, mais au fond il n'y a là rien d'étonnant si tu dis que tout le monde était déjà au courant ; après tout, pourquoi pas lui ? Alors dis-moi, qu'est-ce qu'il y avait de si intéressant à ces infos ?

— L'ouverture du journal s'est faite sur une prise de vue de Flavière menotté qui rentrait tête baissée dans un fourgon de police, suivi de son secrétaire et d'un infirmier de son service, un certain Turcan ou Durcan, je ne sais plus très bien. Flavière est suspecté d'avoir touché des pots-de-vin du laboratoire Sully pour livrer des dossiers de patients ayant répondu favorablement au traitement par le Gallathium. Le gros problème, c'est que Flavière a voulu gonfler les statistiques en droguant ses malades avec du Mandragol, qui reproduit les signes cliniques de la maladie qu'était censé traiter le Gallathium. Ensuite, il avait la partie facile, il lui suffisait d'arrêter le Mandragol pour que le patient guérisse et que cette guérison soit attribuée au Gallathium.

— Quel salopard ! s'exclama Roland en avalant une longue gorgée de bourbon pour mieux digérer ce qu'il venait d'entendre.

— Je le savais, qu'il me droguait, je le disais à tout le monde mais personne ne voulait me croire, ajouta Marlène.

— Oui, et c'est sans doute pour cette raison qu'il a voulu vous supprimer.

— Quel enfoiré ! Il a de la chance d'être en prison, sinon je serais allé lui faire la peau avec un grand plaisir, dit Roland en étranglant son verre de whisky.

— Tu sais, avec les chefs d'accusation qu'il a sur le dos, il n'est pas prêt d'en sortir : empoisonnement, coups et blessures volontaires, faux et usage de faux, et enfin tentative de meurtre comme cerise sur le gâteau. Avec tout ça, je pense qu'il est à l'ombre pour un bon bout de temps. D'ailleurs vous n'allez pas tarder à être entendus par la police. C'est un gros coup, ils veulent aller très vite, ils ont tous les médias sur le dos. Le gouvernement met la pression pour remonter la filière, le ministre de la Santé a donné une conférence de presse exclusive sur ce sujet. On craint que ce scandale de l'industrie pharmaceutique ne soit en fait que la partie émergée de l'iceberg et qu'il y ait d'autres produits testés de la même manière dans les CHU.

— Je me demande dans quel monde on vit ! soupira Roland.

— Dans celui de l'argent et du sexe. Le fric et le cul, il n'y a que ça qui compte pour l'immense majorité de nos contemporains, remarqua le psychiatre.

— Sans doute ! En plus, toi, avec ton métier, tu es bien placé pour le savoir.

Marlène, qui avait suivi avec attention la conversation des deux hommes, prit une lampée de bourbon dans le verre de son mari et alluma une cigarette. Elle souffla une bouffée en direction du plafond et demanda :

— Mais comment la police a su pour Flavière ?

— Oui, c'est vrai, ça, comment il s'est fait coincer ? renchérit Roland.

— Une histoire de cul ! répondit Lombard. En fait, c'est son secrétaire qui l'a balancé. Bien que le reportage télévisé n'en parle pas, tout le monde savait que le secrétaire de Flavière était aussi son amant, un amant très jaloux qui ne supportait plus la nouvelle liaison de son patron avec un des infirmiers du service.

— Celui qui a été inculpé avec lui ? demanda Marlène.

— Oui, précisément. Il a réagi avec passion en livrant tous les dossiers compromettants à la police en sachant pertinemment qu'il serait lui-même mis en cause pour sa complicité. Il s'est sacrifié sur l'autel pour assouvir sa vengeance. Je vous l'ai dit : le fric et le cul, il n'y a que ça qui compte. Je pense même que le sexe est plus important que l'argent. L'argent et le pouvoir qu'il donne ne servent qu'à assumer les pulsions sexuelles qui calment les angoisses existentielles face à la peur de la mort. Eh oui, Freud avait raison !

— Tu veux dire que l'on ne ferait l'amour que parce qu'on aurait peur de mourir ? plaisanta Roland.

— Exactement, mimer un acte de reproduction permet inconsciemment de pérenniser sa propre existence en tant qu'individu appartenant à une espèce donnée. On retrouve ce phénomène même chez les homosexuels. La peur de la mort est sublimée par le sexe.

— Cette théorie expliquerait les excès sexuels des professionnels de santé, et la chasteté relative des personnes axées sur le monde spirituel comme les religieux, remarqua l'anesthésiste.

— Tout à fait, les uns ont peur de la mort tandis que les autres l'acceptent plus facilement. Mais au fait, Roland, pour en revenir à cette histoire d'intoxication au Mandragol, qu'est-ce qui t'a fait subitement comprendre que ta femme était en danger chez Flavière, alors que c'est toi-même qui l'as fait hospitaliser là-bas ? demanda Lombard en reposant son verre sur la table.

Roland hésita à répondre. Il n'avait pas du tout l'intention de dire à son confrère qu'un médium était responsable de sa décision de retirer au plus vite Marlène du service de neurologie. Roland avait peine à y croire lui-même. Et pourtant, son initiative était parfaitement cohérente avec l'avertissement du médium qui, par-delà la barrière de la mort, était entré en contact avec Stéphane.

Marlène jeta un coup d'œil sceptique sur son mari et haussa les épaules.

— Roland n'ose pas vous dire que la décision qu'il a prise et qui m'a sauvée n'a été possible que grâce à l'intervention d'un médium !

Le docteur Duquesne ne savait pas par où commencer. La série de coïncidences qui l'avait poussé à écouter Henry Vignaud ce soir-là, la communication que le médium avait eue avec Stéphane, ce qu'il lui avait dit au sujet de sa vision de la carrosserie de la voiture criblée de balles et de l'empoisonnement de Marlène, tout cela faisait beaucoup pour avoir un discours crédible et cohérent auprès d'un scientifique. Roland était pratiquement certain que, s'il avait déballé toute cette histoire à son ami Michel, le psychiatre n'aurait probablement pas hésité très longtemps avant de le mettre sous traitement neuroleptique. Il préféra être plus nuancé dans ses propos.

— Je pense que mon intuition m'a guidé. Il est vrai que j'avais vu un médium avant, mais ça n'a rien à voir avec ma décision, non, c'est seulement mon intuition qui m'a fait changer d'avis.

— Tu consultes des médiums, toi ? demanda Lombard sur un ton narquois.

— Euh, non… Enfin, je me trouvais par hasard dans un endroit où il y en avait un et…

— Tu sais que je m'intéresse beaucoup aux phénomènes médiumniques ? coupa Lombard.

— Ah non, pas du tout, répondit Roland en se demandant si Michel ne voulait pas se moquer de lui.

— Oui, j'évite d'en parler car c'est encore assez mal vu dans notre milieu médical qui n'accepte que de discuter de choses établies, mais tous ces phénomènes d'énergies vibratoires, de télépathie et d'état de conscience modifiée me passionnent. J'ai même écrit un livre sur ce sujet dont le tirage est resté très confidentiel.

— Ah bon ? fit l'anesthésiste de plus en plus étonné.

— Oui, et je suis heureux de savoir que toi aussi tu t'intéresses aux médiums, c'est tellement rare parmi nous ! Nous, les médecins, nous manquons singulièrement d'humilité devant l'inexplicable en décrétant que ce qui est inexpliqué n'existe pas.

Roland savait bien que son confrère avait raison car c'est précisément cela qui l'avait rendu si réticent à parler. Mais là, maintenant, devant l'ouverture d'esprit affichée par Michel Lombard pour l'irrationnel, plus rien ne pouvait le retenir et il raconta toute son histoire sans omettre le moindre détail.

28

Dès le lendemain matin, Roland décida de se rendre chez le concessionnaire qui lui avait vendu sa moto. Sans permis, il ne pouvait plus conduire de voiture mais désirait malgré tout pouvoir se déplacer librement sans prendre de taxis ni les transports en commun.

On lui prêta un scooter Jaguar 50 CC vert bouteille qui n'avait pas trop roulé et qui, avec un moteur débridé par son ancien propriétaire, était censé dépasser les cent kilomètres à l'heure. Roland s'éloigna de la ville pour évaluer les performances de l'engin. La tenue de route paraissait correcte et les réactions étaient plutôt saines au freinage. Roland fut même surpris de la nervosité de ce petit cinquante centimètres cubes. Il releva la visière de son casque et ne sut pas très bien si c'était le souvenir de son fils en moto ou le frottement de l'air qui lui fit couler des larmes.

Le scooter remonta l'allée Jean-Jaurès et bifurqua sur la gauche pour rejoindre la partie sud-est de la ville qui s'effaçait dans un véritable chantier urbain en perpétuel remaniement. Dans cette zone désertique, des barricades taguées alternaient avec de vieux immeubles en démolition qui servaient de squats aux Toulousains les plus démunis. Roland ralentit en s'engageant sur la légère descente qui menait à la route longeant le canal du Midi et remit les gaz presque aussitôt en atteignant la ligne droite.

Aucun véhicule à l'horizon, c'est le moment de voir ce que cette machine a dans le ventre, se dit-il en essorant la poignée. Sur sa droite, l'eau verte du ruban immobile lançait par intermittence des éclats d'émeraude qui lui piquèrent les yeux. Des plaques éparses de gravillons crépitaient sous les pneus et une odeur de moisissure et de bois mouillé remontait doucement des bas-côtés. Grisé par le miaulement aigu de la machine et le paysage verdoyant qui défilait à toute vitesse, il se pencha en avant pour réduire la prise au vent.

Soudain Roland freina. Ce qu'il venait de voir l'empêcha d'aller plus loin. Il immobilisa son scooter, moteur allumé, et fixa un bon moment ce qui avait motivé son arrêt brutal pour s'assurer qu'il ne rêvait pas. Le médecin réfléchit à ce qu'il allait faire et fit demi-tour en direction du dernier chantier en bordure de route.

Une fois arrivé au niveau du bâtiment en construction, il appuya son scooter contre un mur de planches empilées, enjamba la barrière d'un vieil hangar rouillé et retourna des tôles ondulées et des ferrailles entassées. Au bout de quelques minutes, il trouva enfin son bonheur au milieu d'un amoncellement de débris. Ce truc ira très bien, se dit-il en emportant une tige métallique filetée d'environ trois mètres de long probablement destinée au coffrage d'une fondation, puis, sans perdre de temps, il revint sur ses pas.

Sur cette machine, avec ce casque et cette lance à bout de bras, je dois vraiment avoir l'air d'un chevalier des temps modernes.

Lorsqu'il vit de nouveau la chose, son cœur se remit à battre de plus en plus fort. Il devina qu'il allait bientôt découvrir ce qu'il cherchait, et cette idée l'excita terriblement.

En descendant du scooter, Roland repensa à cette folle nuit au cours de laquelle Henry Vignaud avait fait basculer ses convictions sur le paranormal. Il se remémora qu'il avait éprouvé alors un curieux sentiment d'écœurement envers la prétention de ses anciennes certitudes mais aussi d'admiration pour cet homme capable de telles prouesses. Et depuis cet instant magique il savait que tout était devenu possible. À partir d'une dimension qui nous échappait, les disparus étaient capables d'agir sur le monde des vivants car, personne ne pouvait prétendre le contraire, c'était bien ce qui s'était passé entre Stéphane et Marlène ce soir-là : sans l'intervention du garçon, sa femme ne serait plus de ce monde.

Et pourtant, Dieu sait combien j'étais borné là-dessus, un véritable crétin gonflé d'orgueil, oui, voilà ce que j'étais !

Avec son arme de gladiateur, il longea la péniche transformée en restaurant asiatique, visualisa en souriant les inscriptions chinoises peintes en rouge vif sur la coque noire du bateau et dépassa l'embarcation d'une bonne centaine de mètres. Une fois parvenu devant le grand chêne tortueux que lui avait décrit Henry Vignaud, il plongea sa sonde de fortune dans l'eau saumâtre. En moins de trois minutes, il trouva le contact et un bruit sourd lui fit vibrer la main.

Le médium avait raison, se dit-il satisfait de sa découverte.

Lorsque, quelques heures plus tard, le commissaire de police chargé d'instruire le dossier du docteur Flavière vit pendre la carcasse dégoulinante de la voiture percée au bout de la chaîne de la grue et qu'il demanda au docteur Duquesne comment il savait qu'elle était là, celui-ci répondit laconiquement en regardant la Clio de sa femme : « C'est un médium qui me l'a dit. » Cette réponse n'offusqua pas le commissaire, il savait bien que toutes les polices du monde avaient recours aux services des médiums pour retrouver des personnes ou des objets disparus. Simplement, en tant que policier, il se devait de paraître aux yeux du monde comme quelqu'un de rationnel, poussant son enquête jusqu'au bout et ne se contentant pas de cette explication fantaisiste.

Les deux hommes plantés sur la plate-forme de l'engin élévateur ressemblaient à deux pêcheurs devant une prise devenue trop grosse pour eux. Le commissaire, resté impassible durant toute la manœuvre, se tourna vers le médecin et dit :

— Ne me prenez pas pour un con, s'il vous plaît, dites-moi la vérité !

— Interrogez Henry Vignaud, vous verrez bien que je ne mens pas ! répondit Roland en haussant les épaules.

— Qui est ce monsieur ?

— Le médium. Celui qui m'a fait comprendre que la voiture était là.

— Il est venu ici avec vous ?

— Non, il m'a décrit l'endroit, c'est tout !

— Et où peut-on trouver ce prodige ? ironisa le commissaire en sortant un petit carnet de la poche de son imperméable.

— J'en sais rien, moi, je ne suis pas policier. Je suppose qu'il doit avoir un téléphone et une adresse.

— Très bien, nous allons nous rendre ensemble au commissariat pour mettre votre déposition à jour. Je ne vous conseille pas de jouer au plus fin avec moi, vous pourriez le regretter longtemps !

29

Il faisait nuit depuis un bon moment quand Roland ramena le scooter chez lui. Marlène était de très mauvaise humeur en lui demandant, les bras croisés et une jambe en avant, où il avait passé sa journée. Elle se calma un peu en l'écoutant raconter qu'il avait retrouvé sa voiture au fond du canal du Midi et qu'un commissaire zélé lui avait fait perdre plus de huit heures de son temps avant de pouvoir vérifier que ce qu'il lui disait était bien réel et qu'il n'était pas le complice de Flavière pour toucher l'argent des laboratoires Sully.

Michel Lombard buvait un whisky dans le salon. Alerté par l'inquiétude de Marlène, il était venu la rassurer. Le psychiatre ne rata pas l'occasion de sermonner son ami.

— Tu aurais pu téléphoner au moins, on se faisait du souci pour toi. Tu sais, Roland, ta femme est encore fragile, il ne faut pas lui faire des coups pareils !

— Arrêtez, tous les deux, c'est quand même pas ma faute si je suis tombé sur un abruti de flic qui m'a mis en garde à vue tout un après-midi ! Il a voulu m'intimider, me faire peur, j'en sais rien, moi… en tout cas, il m'a empêché de téléphoner à Marlène, et ça, c'est pas normal du tout !

— Ouais, t'as qu'à porter plainte ! plaisanta Lombard en soulevant son verre.

— Ah, c'est malin, fit Roland en grimaçant.

— Poulet à la moutarde et brocolis, ça vous va ? demanda Marlène en posant trois assiettes sur la table-bar de la cuisine.

— C'est un plat de circonstance : avec le poulet de cet après-midi, la moutarde m'est sérieusement montée au nez, ironisa Roland.

Lombard, qui n'avait rien de prévu pour la soirée, ne se fit pas prier longtemps et accepta de bon cœur l'invitation de Marlène.

Au cours du repas, Roland expliqua comment il avait retrouvé la voiture et mima la mine déconfite du commissaire lorsqu'il fut obligé d'admettre que c'était bien Henry Vignaud qui avait visionné l'endroit où Flavière l'avait dissimulée. Au moment du tiramisu – spécialité ô combien renommée de Marlène –, la conversation glissa naturellement sur les phénomènes médiumniques et le paranormal.

— En attendant ton retour, ta femme m'a raconté sa NDE, dit Michel en enfournant une copieuse bouchée de dessert.

— Alors, qu'est-ce que tu en penses ?

— Intéressant…

— C'est tout ? dit Roland qui s'attendait à une réponse plus argumentée.

— Moi, il y a quand même un truc qui me sidère, reprit Marlène. Il paraît que nous sommes soixante millions d'individus sur cette planète à avoir vécu ce genre d'expérience et la médecine refuse encore d'en entendre parler. Je me demande bien pourquoi.

— À cause du phénomène de dissonance cognitive, répondit le psychiatre en léchant sa cuillère.

— Je t'en ressers une autre part ? demanda Marlène, satisfaite de constater que son dessert avait toujours autant de succès.

— Volontiers, dit Michel en tendant son assiette. En échange, je vous explique ce qu'est la dissonance cognitive.

— Vas-y, on t'écoute, dit Roland pour l'encourager.

Le docteur Lombard sortit de sa poche un trousseau de clés, les tint quelques secondes du bout des doigts au-dessus de la table et les laissa tomber.

— Vous avez vu ce qui vient de se passer : j'ai lâché mes clés et elles sont tombées.

— Oui, et alors? C'est normal ! pouffa Marlène.

— Nous sommes bien d'accord, poursuivit Michel. Imaginez maintenant que parmi nous arrive un extraterrestre.

— Ouille ouille ouille, ça se complique ! commenta Roland.

— C'est une supposition, d'accord ? Imaginons maintenant que cet extraterrestre fonctionne comme nous : il a un cerveau et un organisme identique au nôtre. En plus, c'est quelqu'un de très instruit, de très intelligent et de très honnête ; si vous voulez, disons que c'est l'équivalent de Charpak sur sa planète.

— Charpak, le prix Nobel de physique ? demanda Marlène.

— Exactement ! Donc, notre extraterrestre a assisté comme vous à l'instant à la chute de mes clés sur la table. Mais sur sa planète, les lois de la gravité terrestre n'existent pas, si bien que lui, lorsqu'il lâche un objet, celui-ci ne tombe pas mais reste sur place au même endroit.

— Oui, et alors ? On ne voit toujours pas où tu veux en venir avec ton histoire de clés, dit Roland passablement agacé par autant de mystère.

— Cette histoire de clés qui tombent va complètement bouleverser tout ce que notre extraterrestre connaît ou a appris. La loi de Newton va aller à l'encontre de toutes les lois physiques qui s'appliquent sur sa planète. Il va se produire alors dans son inconscient un mécanisme protecteur qui lui permettra de conserver les données déjà enregistrées dans son cerveau et qui s'appliquera à son insu de deux façons. Soit il dira avoir été victime d'une hallucination ou d'une illusion, et c'est pour cela que Charpak s'entoure volontiers d'illusionnistes qui lui démontrent qu'un phénomène paranormal peut être reproduit par une sorte de tour de passe-passe, soit il va nier le phénomène et dira que ceux qui l'ont constaté sont des menteurs, des charlatans ou des escrocs. C'est ce que font actuellement les adeptes de la zététique lorsqu'ils ne comprennent pas quelque chose qu'ils préfèrent nier. Mais dans les deux cas de figure, pour notre extraterrestre, mes clés ne sont jamais tombées sur la table, même si nous sommes trois sur quatre à les avoir vu tomber !

— C'est génial ta démonstration, c'est toi qui l'as trouvée ? demanda Marlène pleine d'admiration.

— Non, c'est un psy : un certain Fistinger, répondit Michel en riant.

— Oui, d'accord, mais pourquoi cette dissonance cognitive s'appliquerait-elle aux NDE ? demanda Roland en servant une tasse de café à son invité.

— Pour deux raisons essentielles : la NDE tendrait à prouver la dissociation du corps et de la conscience, ou plus exactement de la matière et de l'esprit, lors des expériences de décorporation et suggérerait ainsi l'existence d'une vie après la mort ; autant dire deux choses complètement dissonantes pour les cognitions d'un scientifique !

— Pourtant, certains prétendent que ces phénomènes sont explicables par la science ; j'ai entendu dire que les hypoxies cérébrales pouvaient induire des NDE, les endorphines et la kétamine aussi, précisa Roland.

— C'est quoi, la kétamine ? demanda Marlène.

— Une drogue que l'on utilise en anesthésie, répondit son mari. Ce produit est aussi connu pour provoquer des sorties de corps.

— Oui, elle est également utilisée dans les rave-parties sous le nom de Kit-Cat ou de Mister K. Les jeunes décollent avec ça mais peuvent aussi mourir en l'utilisant, car sans surveillance cette saloperie peut provoquer des arrêts cardiaques irréversibles.

— Une sorte d'aller sans garantie de retour, en somme, dit Marlène.

— Comme le jeu du foulard ou de l'étau magique où, là, c'est l'hypoxie cérébrale qui les fait décoller en diminuant l'apport de sang au cerveau, ajouta le psychiatre.

— Drôles de jeux, en fait, enchaîna Roland. De nombreux adolescents sont morts ou ont eu de lourdes séquelles neurologiques en se comprimant les carotides ou la région épigastrique pour réduire leur débit sanguin cérébral. Des parents se sont même regroupés en association pour alerter l'opinion publique. J'ai eu deux cas de ce genre dans mon service de réanimation ; un est resté en coma dépassé pendant un mois avant de mourir et l'autre s'en est sorti, mais il est sur une petite chaise électrique pour le restant de sa vie.

— Il y a aussi d'autres moyens comme les techniques d'hyperventilation qui provoquent des hypocapnies, ou au contraire des asphyxies qui induisent des hypercapnies par étouffement, mais tous ces procédés sont dangereux, prévint Lombard.

— Tu vois bien qu'il existe quand même des explications scientifiques à ces phénomènes, remarqua Roland.

— Non, c'est faux et archifaux ! s'énerva Michel. Les troubles métaboliques comme l'hypoxie cérébrale, l'hypocapnie ou l'hypercapnie sont des facteurs déclenchants d'expérience de mort imminente, tandis que les stimulations chimiques endorphiniques ou kétaminergiques et les neurostimulations décrites par Penfield reproduisent les visions autoscopiques d'une NDE, mais n'expliquent pas du tout comment les expérienceurs sont capables de percevoir et de voir avec une extraordinaire précision les évènements réels tels qu'ils se déroulent à proximité, et même parfois à très grande distance, de l'endroit où ils se trouvent au moment même de leur NDE. Cela prouve bien que les gens qui vivent ce genre d'expérience ne sont pas les victimes d'une hallucination, mais sortent réellement de leur corps pour atteindre une autre dimension. Et ça, je suis désolé de le dire, mais il n'y a aujourd'hui aucune théorie scientifique qui tienne la route sur cette question, et ceux qui résument la NDE à un phénomène hallucinatoire sont victimes de dissonance cognitive !

Roland retomba dans une perplexité accrue quand il se rappela ce que lui avait lu Jojo à propos de cette jeune femme opérée du cerveau qui avait assisté à sa propre opération en ayant un EEG plat. En fin de compte, tout se passait comme si, dans des états proches de la mort, certaines personnes étaient capables de sortir de leur corps pour atteindre une autre dimension. Alors, pourquoi ne pas admettre une possible communication avec cette dimension-là ? se demanda-t-il en se resservant une tasse de café. La conférence du père Brune lui revint aussi en mémoire.

Pourrais-je un jour communiquer avec Alex ?

Il avait terriblement envie d'en savoir davantage. Son ami Michel avait l'air de bien connaître le sujet, mais Roland n'osa pas lui demander directement si ce genre de projet était envisageable. Il tenta malgré tout une approche timide.

— Il y a déjà eu des études sérieuses sur les dimensions atteintes par les expérienceurs ?

— Qu'est-ce que tu entends par « dimensions atteintes » ?

— Tu as dit il y a un instant que les expérienceurs n'étaient pas victimes d'une hallucination mais sortaient réellement de leur corps pour atteindre une autre dimension, c'est bien ça ?

— Oui, et alors ?

— Alors, si ce que tu dis est vrai, il serait intéressant d'identifier cette dimension pour savoir si une communication est possible avec les disparus qui occupent cet espace-temps particulier, répondit Roland de plus en plus gêné.

— Je vois ce que tu veux dire et surtout où tu veux en venir, dit Michel en souriant.

En fait, le docteur Michel Lombard avait publié plusieurs articles sur ce sujet, mais savait bien qu'en abordant cette question avec les scientifiques on marche sur des œufs et on passe très vite pour un illuminé ou un marchand de rêves. Il regarda un moment Marlène qui s'affairait à débarrasser la table sans perdre une miette de la conversation et se décida enfin à parler.

— Actuellement, je pense qu'il n'y a que la physique quantique qui puisse nous donner un début de réponse cohérente à ces interrogations. En fait, il faudrait pouvoir dépasser la vitesse de la lumière pour rejoindre l'univers des expérienceurs.

— Trois cent mille kilomètres par seconde, précisa Roland en hochant la tête.

— Absolument. En fait, cela repose sur la théorie des trois univers de Dutheil. Nous évoluons dans un univers infralumineux qui est électronique. Selon Dutheil, au-dessus de cet univers existerait un univers lumineux, photonique, qui pourrait être atteint si on se déplaçait à la vitesse de la lumière. Et si on arrivait à dépasser cette vitesse fatidique de trois cent mille kilomètres par seconde, on serait dans un univers supralumineux, tachyonique. Les fameux tachyons de la physique quantique ! Des mathématiciens ont calculé que dans ces conditions la densité de la Terre serait tellement importante que son volume aurait seulement quelques mètres de diamètre tandis que l'ensemble de l'humanité pourrait être contenu dans un pois chiche. Notre planète serait alors si dense qu'elle provoquerait un trou noir dans l'univers pour rejoindre une autre dimension, et dans cet univers-là le temps ne s'écoulerait plus, il serait continu : il n'y aurait ni présent, ni passé, ni futur. Et si le temps n'existait plus, la connaissance des choses serait infinie car on serait capable d'assimiler dans son intégralité toute l'histoire de l'humanité et de l'univers depuis le début de sa création, si début il y a…

— C'est ce que les expérienceurs appellent l'« omniscience » ? demanda Marlène en se remémorant ce que lui avait dit Burce à ce sujet.

— Exactement ! L'omniscience et l'amour infini sont des thèmes récurrents décrits dans les NDE au moment de l'approche de la lumière. L'amour évoqué par les expérienceurs n'a rien à voir avec celui que nous connaissons sur Terre : c'est un amour absolu, inconditionnel. Il n'est pas du tout possessif, mais au contraire désintéressé, dénué de sentiment de rancœur ou négatifs comme la colère ou la jalousie ; aucun point commun avec les sentiments éprouvés dans une relation amoureuse par exemple. En fait, l'omniscience et l'amour absolu sont étroitement liés car lorsqu'on explique tout on comprend tout, et si on comprend tout on accepte tout et on aime tout, sans condition ; c'est ça, l'amour absolu.

— Donc, si je résume ta pensée, pour entrer en contact avec ce monde de l'au-delà, il faudrait dépasser la vitesse de la lumière, c'est bien ça ? demanda Roland.

— Oui. Autant dire que pour l'instant c'est tout à fait impossible… souffla Marlène déçue.

— Pour le moment seulement, mais il ne faut pas désespérer, dit Michel. N'oublions pas que le paranormal d'aujourd'hui sera sûrement le normal de demain, de la même façon que le normal d'aujourd'hui était le paranormal d'hier, et cela est particulièrement vrai en matière de communication. Il y a un siècle, les téléphones portables relayant des personnes aux antipodes étaient du domaine du paranormal !

— Oui, d'accord, mais si nos civilisations actuelles ne sont pas capables de communiquer avec l'au-delà, est-ce que tu penses possible une communication en sens inverse ? demanda Roland.

— Tu veux dire une communication de l'au-delà vers nous ?… Oui, honnêtement, je pense la chose possible. Tu sais, ce qui se passe avec les NDE est voisin du phénomène des ovnis et des extraterrestres. Il est logique d'admettre que nous ne sommes pas seuls dans l'univers. La NASA le pense aussi ; elle envoie des messages destinés aux extraterrestres et écoute l'univers d'une oreille attentive. Certains prétendent même avoir déjà pu communiquer avec des étrangers venant d'un autre monde. Il est d'ailleurs amusant de constater qu'on appelle aussi « expérienceurs » les personnes qui ont vu des ovnis ou des extraterrestres, et ces gens-là sont transformés de la même manière que ceux qui sont passés près de la mort. Pour l'instant, nous n'avons pas de preuve que les messages envoyés aux extraterrestres ont été bien reçus. Si on fait un parallèle avec l'au-delà, nous n'avons pas trouvé de moyen scientifique pour passer des messages aux disparus, mais peut-être qu'eux, s'ils existent dans un univers plus évolué que le nôtre, sont capables de le faire… mais ça, c'est encore une autre hypothèse à discuter… Bon, je crois qu'il se fait tard, on va aller se coucher, fit Michel Lombard en se levant de table.

Cette nuit-là, Marlène rêva qu'elle était au milieu des étoiles et qu'elle conversait par télépathie avec son fils Alexandre. Elle lui disait combien elle l'aimait et combien il lui manquait.

Elle se réveilla à 3 heures du matin les joues mouillées de larmes. Son mari promit que, dès le lendemain, il tenterait de joindre Bruce pour qu'il le mette en contact avec Raudive.

Après tout, ils n'avaient plus grand-chose à perdre.

30

Roland avait décidé d'envoyer un e-mail à Maurice Burce pour lui demander de le mettre en contact avec Raudive. Il avait renoncé à chercher le bristol du médium qui, pour une mystérieuse raison, demeurait introuvable, et n'avait plus maintenant que cette solution pour réaliser cette rencontre. Il imaginait bien que son projet surprendrait Burce et que celui-ci ne manquerait pas de lui demander des explications sur un changement aussi radical concernant sa position au sujet des médiums, mais l'anesthésiste n'avait pas l'intention d'épiloguer là-dessus et préférait employer Internet pour obtenir ce qu'il voulait.

Dans le bureau, Roland pianotait tranquillement sur l'ordinateur familial lorsqu'il entendit un bruit sourd venant de la pièce du dessus. Il réalisa avec effroi que ce son mat et affolant pouvait être celui d'un corps qui tombe.

Bon Dieu, c'est pas vrai, Marlène ! pensa-t-il en se précipitant dans les escaliers.

Étendue sur le plancher de la chambre conjugale, madame Duquesne venait de perdre connaissance.

Elle avait une ceinture serrée autour du cou.

*

Marlène décolla aussitôt et abandonna sans aucun regret sa pitoyable enveloppe corporelle qu'elle assimila immédiatement

185

à un véhicule terrestre. D'ailleurs, elle sentit bien à ce moment-là que, si elle avait voulu, elle aurait été tout à fait capable d'emprunter un autre corps vide qui ne fut pas le sien, et plusieurs parmi eux passèrent subrepticement devant elle ; des corps hideux de vieillards décharnés, des corps meurtris d'animaux blessés : des corps méchamment abîmés qui cherchaient à être habités par une âme nouvelle. Marlène refusa cette possibilité de réincarnation. Non, ce qu'elle voulait, c'était retrouver Alexandre, le voir, lui parler, l'écouter, ne serait-ce que quelques secondes, comme cette dernière nuit dans son rêve. Alors, elle s'enfonça de nouveau dans la spirale multicolore qui se présentait devant elle et fut aspirée par le tube sombre. L'itinéraire fut le même que la première fois et le cordon d'argent flottait encore au-dessous lorsqu'elle revit la lumière, mais cette fois-ci, au lieu de s'en rapprocher, elle s'en éloigna en empruntant un autre chemin. Elle voulut corriger la trajectoire. Rien à faire. Elle supplia les entités qu'elle rencontra mais celles-ci se moquèrent d'elle. Elle implora Dieu et sa miséricorde et n'eut comme toute réponse que rires et cris d'agonie. Une douleur indicible envahit tout son être. Une douleur atroce et inconnue. Une douleur bien pire que n'importe quelle douleur corporelle existant sur Terre. Elle comprit son erreur et demanda pardon de toutes ses forces. Instantanément, Stéphane apparut dans un halo étincelant. Il irradiait la bonté et la sagesse. Il lui dit qu'elle était dans le bas astral et que c'était l'endroit réservé aux suicidés et aux toxicomanes. Il écarta d'un geste de la main les formes bizarres et monstrueuses qui se promenaient autour d'eux et demanda à Marlène si elle voulait sauver son fils. Oui, bien sûr elle voulait, elle ne demandait que ça, du reste : le sauver. Mais comment faire ? Stéphane dit qu'il lui expliquerait la façon d'y parvenir lorsqu'elle serait revenue sur Terre, mais pour ça, il fallait qu'elle revienne là-bas et surtout qu'elle accepte de vivre sans essayer de fuir comme elle venait de le faire.

Avant de disparaître dans un nuage de voiles évanescents, il lui murmura :

Alex n'est pas ici. Concentre-toi sur les Écritures et je viendrai te guider.

*

Marlène ouvrit les yeux. Elle était allongée sur son lit, les jambes surélevées par trois gros coussins. Son mari lui massait doucement le cou. Elle le regarda tendrement et lui dit :

— Je voulais revoir Alex…

— Pas comme ça, Marlène. Pas comme ça.

Il la serra tout contre lui en sanglotant, et elle répondit :

— Je sais, mon amour, maintenant je sais. Pardon…

31

La voiture de Maurice Burce se faufilait à travers les embouteillages du centre-ville pour rejoindre le domicile des Duquesne. Au volant, le proviseur du lycée Saint-Sernin se concentrait pour choisir les files de véhicules qui avançaient le plus vite, tandis qu'à ses côtés Roland Duquesne serrait les dents chaque fois qu'un obstacle les frôlait. Burce avait une importante réunion de travail à 16 heures, et cet aller-retour qu'il venait de s'imposer n'était pas fait pour l'arranger.

Roland écarta le trou de son pantalon déchiré au niveau du genou droit pour vérifier que le pansement de fortune qu'il s'était confectionné dans l'appartement de Burce ne saignait plus et retroussa les manches déchiquetées de son blouson.

Je ne peux pas arriver comme ça à la maison sans prévenir Marlène, elle pourrait avoir peur.

— Maurice, seriez-vous assez aimable pour me passer votre portable ? demanda Roland.

Burce lui remit l'appareil et l'anesthésiste composa le numéro de son domicile. Il attendit un bon moment avant que l'on décroche.

— Marlène ? Je te réveille ? Tu avais déjà commencé ta sieste ?… Non, il n'est que 14 h 10. Maurice a la gentillesse de me ramener à la maison car j'ai eu un petit accrochage en scooter en allant chez lui… Non, rien de grave, des petits bobos de rien du tout… Mais oui, je t'assure, je n'ai rien du tout, j'ai dérapé sur du gravillon et voilà… Non, le scooter est resté dans le garage de Maurice, il ne peut plus rouler. J'ai téléphoné à l'assurance, ils enverront un expert… Quoi ?… Oui, si j'en trouve une, on s'arrête, c'est promis. À tout de suite, ma chérie. Bises.

— Il faut qu'on s'arrête quelque part ? s'inquiéta Maurice.

— Oui, tenez, ici, juste là, garez-vous en double file, j'en ai pour une minute.

Maurice obtempéra à contrecœur et Roland se précipita aussitôt dans l'une des plus grosses librairies de Toulouse.

Il revint dix minutes plus tard avec une poche assez volumineuse.

— Pardonnez-moi, ça a été un peu long, il y avait du monde à la caisse.

— Vous avez acheté un gros livre, on dirait, dit Maurice en redémarrant.

— Oui, c'est la Bible, c'est pour ma femme.

— Ah bon ?

Roland sentit que Maurice voulait en savoir davantage sur ce choix de lecture. Il hésita un moment et se décida enfin à livrer la motivation profonde de Marlène.

Après tout, puisque nous sommes embarqués dans la même histoire autant lui dire la vérité.

— Marlène est certaine d'avoir rencontré Stéphane pendant sa dernière NDE et votre fils lui aurait demandé de se concentrer sur les Écritures.

— Elle a vu Stéphane ?

— Oui, enfin, c'est ce qu'elle dit…

— Vous auriez pu m'en parler plus tôt, quand même !

Le visage de Maurice Burce s'empourpra d'une soudaine colère qu'il eut bien du mal à dissimuler.

— Je n'ai pas voulu vous choquer avec ça, je ne savais pas que…

— Vous ne saviez pas, vous ne saviez pas quoi ? s'emporta Maurice. Vous ne saviez peut-être pas que j'attends depuis plusieurs semaines des messages de mon fils qui n'arrivent plus ! Votre femme voit mon fils et personne ne me dit rien ! Merci !!!

— Oui, mais c'était pendant une NDE, elle ne l'a pas réellement vu…

— Ah non, vous n'allez quand même pas remettre ça avec votre scepticisme à la con ! Les NDE permettent de visiter l'au-delà, vous le savez aussi bien que moi maintenant. Merde, alors !

— Oui, bien sûr, je ne dis pas le contraire.

— Bon, alors je suis désolé mais vous n'avez aucune excuse valable à me donner. Je vous jure que si un jour j'ai le bonheur d'avoir un signe d'Alex je vous préviens aussitôt. Soyez logique avec vous-même. Vous ne pouvez pas venir chez moi pour écouter des enregistrements en TCI de mon fils, demander que je vous obtienne un rendez-vous avec Raudive pour le vôtre et douter encore de l'existence de l'au-delà !

De toute évidence, Maurice avait raison. Pour Roland, l'instant était venu de faire un choix. Sa réponse ne se fit pas attendre bien longtemps.

— Pardonnez-moi, lui dit-il. Tout cela est pour moi tellement nouveau que j'ai encore du mal à m'y faire. J'avoue avoir été stupide. Marlène voulait vous appeler pour vous en parler et c'est moi qui l'en ai empêché. J'aurais dû la laisser faire, c'est évident.

— C'est pas grave ! dit Burce tout en pensant le contraire.

En les voyant arriver, madame Duquesne ouvrit le portail électrique et alla les accueillir.

Pour gagner du temps, Maurice Burce avait prévu de déposer Roland et de repartir aussitôt. Mais il ne put refréner sa curiosité. Il avait envie de connaître dans les moindres détails la NDE de Marlène. Il voulait écouter le récit complet de sa dernière expérience, et surtout, oui surtout, avoir la description exacte de sa rencontre avec Stéphane.

Mais avant, il devait téléphoner au lycée Saint-Sernin pour annuler sa réunion.

32

Le lendemain, la voiture de Maurice Burce stationna au pied de l'imposante demeure de William Raudive. Le docteur Duquesne et sa femme étaient soulagés d'être enfin arrivés, car les derniers kilomètres d'une route particulièrement tortueuse s'étaient révélés très pénibles et la conduite sportive de Burce n'avait pas arrangé les choses.

Roland regarda avec appréhension la tour du XIIe siècle et se demanda quelle sorte de personne pouvait être capable d'habiter dans une demeure pareille, si ce n'était un mégalomane avide d'argent et de pouvoir. Il eut envie de fuir et de renoncer à ce rendez-vous mais se remémora ce que lui avait dit Burce au sujet de ses incertitudes. Il fallait bien qu'il accepte cette rencontre que lui-même avait réclamée, fût-ce au prix d'une certaine incohérence.

— Allez sonner, Maurice, j'arrive, dit Roland en se cachant derrière un sapin presque aussi haut que la tour pour soulager sa vessie.

Mais Burce n'eut pas le temps d'atteindre la porte pour signaler leur présence car le domestique de Raudive les attendait déjà sur le perron. Alerté par les claquements des portières qui avaient brisé le silence quasi religieux de l'endroit, et habitué à ce que les gens viennent seuls en consultation, le majordome, tout de gris vêtu, avait pris les devants et était sorti pour connaître l'identité de ces visiteurs. Il eut l'air surpris en les accueillant.

— Vous êtes venu tous les trois ?

— Pourquoi, il y a un problème ? demanda Roland en arrivant vers ce curieux personnage qu'il assimila aussitôt à une longue souris distinguée.

— Non, il n'y en a aucun si maître Raudive est au courant, répondit-il en affichant un sourire crispé. Entrez, je vous en prie. Je vous emmène patienter dans la salle d'attente le temps que je prévienne le Maître. Veuillez avoir l'obligeance de me suivre, s'il vous plaît.

Le Maître ! J'avais raison, ce type est un mégalo pour se faire appeler comme ça ! pensa Roland.

Le majordome s'engagea dans l'escalier de pierre et le trio lui emboîta le pas. L'homme en gris les abandonna dans un petit salon cossu qui jouxtait l'immense pièce où Raudive devait les accueillir.

Le médium les reçut vingt minutes plus tard dans son impressionnante bibliothèque. La grande porte en bois, l'épais tapis de laine rouge, le bureau en marbre noir zébré de blanc, le fauteuil de cuir fauve digne d'un roi africain et la cheminée qui aurait pu faire cuire un bœuf entier ne firent que confirmer les premières impressions de Roland. William Raudive était riche et affichait sans pudeur ni vergogne son statut social.

Vêtu d'une ample chemise en soie noire au col Mao boutonnée jusqu'au cou et d'un pantalon assorti, maître Raudive ressemblait à un véritable ecclésiastique de haut rang. À leur arrivée, l'homme inclina son buste en avant en joignant les mains devant son visage comme il avait l'habitude de le faire dans ces circonstances. Il portait un gros diamant en chevalière sur l'auriculaire de la main droite.

— Bienvenu au Castelet, vous êtes ici chez vous. Je suis très honoré de vous recevoir ici, monsieur et madame Duquesne, et aussi très heureux de revoir monsieur Burce qui m'a fait le plaisir de vous emmener jusqu'ici. Asseyez-vous, je vous en prie, leur

194

dit-il en leur désignant des fauteuils crapaud installés devant la cheminée.

Au centre, sur une petite table, les attendaient une carafe de jus de fruits, une bouteille de Perrier et trois verres de cristal, une cafetière fumante et trois tasses de porcelaine.

Très professionnel, comme accueil, remarqua Roland.

— Je suis particulièrement satisfait que vous ayez pu revoir vos sentiments à mon égard et sur mes travaux, monsieur Duquesne, dit Raudive en grimaçant un étrange sourire.

— Il n'y a que les imbéciles qui ne changent pas d'avis, n'est-ce pas ? répondit Roland.

— Oui, c'est ce qu'on dit, en effet, s'amusa le médium.

Après un bref échange de politesses et une présentation par Maurice des intentions des Duquesne, Raudive leur fit écouter diverses voix venues de l'au-delà et leur précisa que la netteté des sons qu'il obtenait grâce à son procédé coûteux ultrasophistiqué, motivait un prix de vente relativement élevé, à savoir 2 000 euros pour dix minutes d'écoute sur support DVD, CD ou cassette audio, payables à chaque livraison. Pour des raisons de confidentialité et de sûreté, les précieux objets devaient être retirés à son domicile et réglés en espèces. Il ne pouvait leur être délivré qu'un seul enregistrement par visite car il fallait, selon Raudive, que les auditeurs aient le temps d'assimiler leurs messages dans toute leur symbolique et leur complexité.

Les Duquesne acceptèrent sans conditions les modalités de vente et repartirent avec la première cassette d'Alexandre.

En fait, au cours de ce premier entretien avec Raudive, ils n'avaient presque pas parlé et s'étaient contentés d'écouter les recommandations du médium qui avait d'emblée fixé les règles du jeu sans discussion possible.

William Raudive, percevant leur vulnérabilité, s'était imposé à eux comme un chef autoritaire et sans scrupule en préparant le début d'une longue dépendance. En cela, le médium avait parfaitement réussi son objectif.

Le chemin du retour se fit dans le silence. L'affaire avait été si bien menée par le maître des lieux qu'elle n'appelait aucun commentaire particulier. Marlène fit bien une remarque sur le manque de sympathie qu'elle éprouvait pour Raudive et son majordome qui était aussi agréable que du papier de verre, mais ce fut tout.

Maurice adopta une conduite plus calme qu'à l'aller tandis que le docteur Duquesne et sa femme n'avaient maintenant qu'une seule hâte : rentrer chez eux pour écouter parler leur fils.

33

Lorsque le docteur Lombard eut la surprise de découvrir son ami Roland feuilletant un magazine dans sa salle d'attente, il fit un signe discret de la tête pour lui demander de le suivre dans son bureau sous les méchants regards des deux patients qui espéraient passer bien avant cet intrus de dernière minute.

— Qu'est-ce que tu fais ici ? demanda Michel en refermant la porte derrière eux.

— Je suis venu te voir en tant que malade et je crois que c'est urgent, répondit Duquesne en s'allongeant sur le divan du psychiatre.

Lombard resta silencieux un bon moment avant de consentir à s'asseoir près de son ami. Il posa son grand cahier à ressort sur ses genoux et tapota son stylo sur les pages pour extérioriser son impatience.

— Très bien, soupira-t-il. Vas-y, je t'écoute.

— En fait, c'est très simple, j'aimerais savoir si je suis normal… enfin, du point de vue psychologique, tu vois ?

— Pas vraiment, non.

Lombard s'énervait de plus en plus.

— Je sais que tu as des diagnostics sûrs. Je te demande de faire abstraction de notre amitié et de me dire sincèrement ce que tu penses de mon cas, précisa Roland.

— Il y a eu des évènements nouveaux depuis l'autre soir ?

— En fait oui. Avec Marlène nous sommes allés récupérer un enregistrement en TCI d'Alexandre chez William Raudive...

— C'est le médium qui te poursuit depuis le début, c'est ça ?

— Exact ! Une fois arrivés chez nous, nous avons écouté plusieurs fois la cassette. Et on a eu le sentiment que c'est bien Alex qui parle sur cet enregistrement : on a reconnu ses expressions et son vocabulaire. Il nous a dit qu'il était heureux, qu'il nous aimait et nous a aussi demandé de maintenir le contact.

— Oui et alors ? s'impatienta Lombard.

— Le problème, c'est qu'avec tout ce qui m'arrive je pense avoir perdu la notion du réel. Je me demande si avec Marlène on ne se fait pas un film pour nous rassurer face au deuil de notre fils unique. Marlène passe le plus clair de son temps à lire les Saintes Écritures parce que Stéphane lui aurait demandé pendant sa NDE de se concentrer dessus, et en plus on croit mordicus entendre notre fils sur des enregistrements... Et si tout cela n'était que le fruit de notre imagination ? Peut-être sommes-nous victimes d'hallucinations que nous entretenons par des théories fumeuses qui nous font délirer sur la mort et l'après-vie ? Tu es mon ami, dis-moi ce que tu en penses sans faire de langue de bois. Je suis prêt à entendre la vérité. Souviens-toi : un médecin doit dire la vérité à son malade s'il la lui réclame et qu'il pense que celui-ci peut l'accepter sans dommage. C'est bien ça qu'on nous a appris à la fac, non ? La schizophrénie se soigne et je suis encore suffisamment lucide pour suspecter ce diagnostic. En fait, Marlène et moi avons tous les symptômes de cette maladie : perte de l'unité de la personnalité, rupture du contact avec la réalité, délire et tendance à s'enfermer dans un monde intérieur. Je sais aussi que l'évolution peut se faire rapidement vers la démence, alors je viens te voir avant qu'il ne soit trop tard. Voilà, tu sais tout, dit Roland en attendant le verdict de Lombard.

— Mais qu'est-ce qui fait que tu penses maintenant être victime d'hallucinations ? Ne serais-tu pas plutôt atteint de dissonance cognitive ? sourit Michel en se redressant sur son siège.

— Le point de départ de tout ce délire est en fait l'hallucination de Marlène qui a cru rencontrer Stéphane pendant sa NDE.

— La NDE n'est pas une hallucination, nous en avons longuement discuté chez toi et…

— Ah oui ? Tiens, lis ça, dit Roland en mettant sous le visage de son ami le magazine qu'il n'avait pas quitté.

La couverture titrait en gros caractères :

LA NDE EST UNE HALLUCINATION !
DES CHERCHEURS SUISSES
VIENNENT DE LE DÉMONTRER

Michel Lombard haussa les sourcils au-dessus de la monture rouge de ses lunettes et réajusta son nœud papillon. Il se racla la gorge une ou deux fois et lut l'article à haute voix.

« Deux chercheurs suisses, les neurologues Olaf Blanke et Margitta Seeck, qui travaillent au département de neurosciences cliniques de la faculté de médecine de l'Université de Genève et à l'institut de neuroscience de l'École polytechnique fédérale de Lausanne, ont démontré qu'il y avait une explication très rationnelle au phénomène des NDE. Selon eux, la représentation corporelle est troublée lorsqu'on stimule électriquement la région cérébrale du gyrus angulaire. À ce moment, le cerveau génère une image délocalisée comme projetée sous le corps, en face de lui ou derrière lui. »

— Oui et alors ? Ces conclusions ne prouvent absolument rien, si ce n'est que ces chercheurs ignorent totalement le phénomène qu'ils prétendent élucider ! s'emporta Lombard.

— Comment ça ? Explique-toi !

— Je connais bien les théories d'Olaf Blanke, il a déjà publié ses expériences dans *Nature*. Il opère des cerveaux sous anesthésie locale, car pour détruire les zones malades il a besoin de savoir à quel endroit précis il enfonce ses électrodes. Non endormis, les patients peuvent communiquer et dire exactement ce qu'ils ressentent. Ce neurochirurgien a remarqué que, chaque fois qu'il stimulait une zone du cerveau droit appelé le « gyrus angulaire », il provoquait des visions autoscopiques qui sont effectivement des hallucinations. Mais cela n'a absolument rien à voir avec les décorporations des expérienceurs. En fait, c'est très facilement démontrable. Les patients sous anesthésie locale conservent intactes leurs capacités cognitives et sensorielles : par l'intermédiaire de leurs perceptions tactiles, auditives et vestibulaires, ils peuvent reconstituer la position de leur corps dans l'espace, et cette perception est relayée ensuite aux structures corticales et mnésiques du cerveau pour reconstituer une image exacte de leur corps qui s'exprime en stimulant le gyrus angulaire. Or, dans les NDE, c'est totalement différent. Premièrement, les gens proches de la mort qui sont dans le coma n'ont plus leurs facultés sensorielles habituelles, et ce mécanisme de reconnaissance spatiale ne peut donc plus s'appliquer. Deuxièmement, les expérienceurs sont capables de percevoir non seulement leur corps mais aussi des détails environnementaux se situant à distance de l'endroit où ils se trouvent. Donc, tu le vois bien, le raccourci abusif de ce titre ronflant n'aura eu pour seul effet que d'augmenter le tirage du magazine en semant le doute dans le vécu des expérienceurs, qui vont tous se prendre pour des schizos comme tu viens de le faire à l'instant !

Roland sentit son anxiété décroître. L'analyse de Lombard semblait logique. Un raccourci abusif, la NDE n'est pas une hallucination, se répéta-t-il, tenté par cette possibilité. En tout cas, il n'était pas atteint de maladie mentale et son ami psychiatre venait de lui en donner la confirmation. Il réfléchit quelques instants, histoire de faire le point. Les rouages de ses pensées s'étaient remis en route. Il n'était pas fou et il était donc capable d'analyser la situation en toute lucidité. Il découvrit tout à coup à quel point il trouvait cet article d'Olaf Blanke insignifiant.

La vision d'Henry Vignaud qui avait permis de sauver sa femme et de retrouver la voiture, les signes que Stéphane lui avait donnés – par l'intermédiaire du médium d'abord, puis de la NDE de Marlène –, les certitudes de Burce et de Lombard sur la réalité des expériences de mort imminente, la reconnaissance de son fils dans les enregistrements obtenus en TCI, tous ces arguments plaidaient bien en faveur de l'existence d'une vie après la mort.

Alors il pensa à Marlène et eut une terrible envie d'être près d'elle pour l'embrasser.

Une fois encore, il avait douté d'elle et ses soupçons sur sa santé mentale n'étaient absolument pas justifiés.

Roland se leva du divan et remercia son ami qui venait de lui ouvrir les yeux sur la réalité des choses.

— C'est bon, tu m'as convaincu, je suis guéri ! lui dit-il dans un grand éclat de rire.

— Normal, tu n'étais pas malade, répondit le psychiatre en levant les bras pour signifier qu'il n'y était pour rien dans cette spectaculaire guérison.

Et ils partirent ensemble dans un énorme fou rire qui se fit entendre jusque dans la salle d'attente.

*

En sortant de l'immeuble, une autre surprise attendait Roland : une voiture stationnée le long du trottoir recula à vive allure sur son scooter récemment réparé. Le tintamarre de casseroles qui s'ensuivit motiva la sortie empressée de la conductrice maladroite. La jeune femme semblait désolée en observant, les mains sur la bouche, le deux roues renversé sur la chaussée. Et c'est vrai qu'il faisait peine à voir, ce machin fracassé avec son guidon tordu et son phare brisé !

— Ne vous en faites pas trop quand même, cet engin a l'habitude d'être à terre, ironisa Roland pour dédramatiser la situation.

— Je suis très ennuyée… Vous connaissez le propriétaire ?

— Oui, c'est moi ! répondit Roland en soupirant.

Elle marcha vers lui et tendit un petit bristol sorti de son sac à main en remontant d'un petit geste nerveux une mèche de cheveux qui cachait son front. La frêle silhouette oscillait doucement devant son forfait. Elle était vêtue d'une courte jupe beige et d'une veste assortie, portait un foulard de soie noué à la hâte autour de son cou. On dirait une fillette qui a volé des bonbons, pensa l'anesthésiste en la voyant rougir.

— Excusez-moi, mais je n'ai pas une minute à perdre. Je dois prendre un train dans moins d'une demi-heure. Je m'absente tout le week-end mais je reviens lundi. Vous avez mes coordonnées sur ce carton. Appelez-moi, on fera un constat, dit-elle en remontant dans sa Renault.

Florence Hubert
Médium
Travail énergétique

Décidément, les médiums me poursuivent, songea Roland en hochant la tête.

34

Le docteur Duquesne paya les trois plateaux à la caisse de la cafétéria. Choucroute géante agrémentée d'un demi pression avec des profiteroles chantilly pour lui, sole meunière quart Vittel pour Marlène et canard aux olives pichet de rouge pour Maurice Burce.

Le père de Stéphane devait, pour la deuxième fois, conduire la petite expédition chez Raudive pour récupérer de nouveaux enregistrements. Burce ne protesta pas contre l'initiative de Roland car il savait que c'était pour les Duquesne une façon de le remercier d'avoir la gentillesse de bien vouloir les emmener jusqu'au château du médium.

— Vous êtes sûrs de ne pas vouloir de dessert ? demanda l'anesthésiste en rangeant sa carte bancaire dans son portefeuille.

Mais sa question resta sans réponse car les deux autres, installés à une table voisine, étaient déjà trop loin pour l'entendre.

Roland les rejoignit.

Marlène jeta un regard critique sur le repas de son mari.

— Un de ces jours, il faudra quand même que tu te décides à faire doser ton cholestérol et tes triglycérides, dit-elle en fronçant les sourcils comme l'aurait fait une institutrice grondant un gamin.

— N'inversons pas les rôles, tu veux. C'est le médecin qui prescrit les examens et c'est le malade qui les subit, s'amusa Roland.

— Vous avez un solide appétit, mon cher, commenta Maurice.

— Pour affronter les virages qui nous attendent, je préfère avoir le ventre plein, se défendit-il en engloutissant une énorme bouchée de choux fumants après s'être assis en face de sa femme.

— Il va surtout falloir affronter Raudive ! Je le supporte de moins en moins, celui-là, avec ses airs supérieurs. J'espère que cette fois-ci il aura eu un contact avec Stéphane ! répondit Burce.

— Je pense que oui. Je vous l'ai déjà dit, au téléphone il m'a demandé de venir car _les_ cassettes étaient prêtes. Ce qui veut dire qu'il y en a au moins deux ; c'est logique, non ?

Burce resta dubitatif et préféra ne pas faire de commentaire. Il se servit un verre de vin.

— Raudive vous a expliqué pourquoi il n'arrivait plus à avoir de communication avec votre fils ? demanda Marlène.

— Non, absolument pas ! Il m'a simplement précisé que le contact avec Stéphane ne pourrait être rétabli que par l'intermédiaire d'Alex. Et comme je vous l'ai déjà dit, cela n'était possible qu'avec votre participation. C'est pour cette raison que je suis très heureux que vous acceptiez enfin de collaborer avec Raudive.

— C'est agaçant de ne rien comprendre à tous ces mécanismes. C'est très récent, en fait, ces trucs de communication. D'après le bouquin du père Brune que vous m'avez envoyé en prison, tout aurait débuté dans les années 60. C'est bien ça, non ?

— C'est vrai pour la TCI, mais en réalité la communication avec les morts se pratique depuis très longtemps puisqu'on en parle même dans la mythologie grecque, précisa Burce.

— Vous vous intéressez aussi à la mythologie grecque ? s'étonna Roland.

— Oui. Avant d'être proviseur, j'ai exercé cinq ans comme prof d'histoire dans un collège. J'ai aussi une licence en philosophie.

— Et pourquoi avez-vous arrêté l'enseignement ? demanda Marlène.

— Pour pouvoir m'occuper de Stéphane. Il n'avait que huit ans lorsque sa mère est morte. À cette époque, je dévorais les livres qui touchaient de près ou de loin à la mort et le décès de ma femme n'a fait qu'amplifier ma curiosité et ma soif de connaissance sur ce sujet. Savez-vous par exemple que le phénomène NDE existait bien avant que Raymond Moody n'en parle ?

— Moody, c'est le psychiatre américain dont vous m'avez déjà parlé ? demanda Marlène.

— Oui, c'est lui qui a mis en lumière tous ces phénomènes il y a plus de trente ans en publiant son best-seller *La vie après la vie*. Au départ il était prof de philo, puis il est devenu médecin pour essayer de comprendre ce qui se passait au seuil de la mort. Mais pour en revenir aux NDE, il est clair que ce genre d'expérience a probablement toujours existé. Déjà quatre mille sept cents ans avant Jésus-Christ, l'épopée de Gilgamesh, transcrite sur des tables d'argile retrouvées en Mésopotamie, l'actuel Irak, fait allusion à un chemin lumineux emprunté au moment de la mort. Mille trois cents ans avant Jésus-Christ, les Égyptiens enfermaient la dépouille de leur pharaon dans un sarcophage avec le prétendant à la succession, et celui-ci, pour être choisi, devait revenir d'un voyage divin après avoir traversé la rivière des Morts ; en fait, il devait faire une NDE.

— Oui, on comprend pourquoi : le manque d'oxygène et l'excès de gaz carbonique devaient les asphyxier ! précisa l'anesthésiste.

— D'ailleurs, beaucoup de candidats mouraient durant l'épreuve, ajouta Maurice.

— Aujourd'hui les élus prennent moins de risques, plaisanta Marlène en buvant son Vittel.

— Et le mythe d'Er de Platon quatre cents ans avant Jésus-Christ, vous connaissez, ça ? questionna Burce.

— L'histoire du soldat laissé pour mort sur une charrette de cadavres, c'est ça ? demanda Roland qui essayait de se remémorer ses anciens cours de philo.

— Exactement ! Mortellement blessé, ce brave homme est sorti de son corps pour partir dans une autre dimension et s'est ensuite réincarné... dans son propre corps. Cette histoire ressemble beaucoup à une NDE, non ? Les philosophes présocratiques évoquent aussi le phénomène, que ce soit Anaxagore, Héraclite ou même Parménide avec ses filles du Soleil qui accompagnent l'élu jusqu'à la lumière.

La lumière... Marlène se remémora ce qu'elle avait lu dans la Bible. Depuis plusieurs semaines l'étude des Saintes Écritures occupait presque tout son temps, mais elle n'avait toujours rien trouvé qui soit susceptible de l'aider. Pourtant, pendant sa NDE, Stéphane lui avait bien recommandé de faire ce travail. Elle ferma les yeux et le revit encore lui déclarer : « *Alex n'est pas ici. Concentre-toi sur les Écritures et je viendrai te guider.* »

— Aux vivants la lumière du soleil et aux dormants la lumière de Dieu, dit-elle en pensant à son fils.

— Vous savez, Marlène, le Nouveau Testament, la Torah, le Coran, tous les textes sacrés parlent de cette lumière divine. Dieu conduit vers Sa lumière celui qu'Il veut. Il y a des êtres plus éclairés que d'autres sur cette terre, comme Sainte Thérèse d'Ávila qui perdait connaissance régulièrement et qui disait à chacun de ses retours que la vraie vie était là-bas.

— Elle devait souffrir de troubles paroxystiques du rythme cardiaque, mais à l'époque les pacemakers n'existaient pas encore, rétorqua l'anesthésiste.

— C'est bizarre, cette façon que vous avez de vouloir toujours trouver une explication médicale à n'importe quel phénomène. Toutes vos réflexions sont vraiment terriblement influencées par vos études.

— Oui, c'est possible, convint Roland. C'est peut-être la raison pour laquelle j'accepte si difficilement ce que je n'ai pas appris sur les bancs de la faculté.

— Reconnaître ce défaut, c'est déjà faire preuve d'une certaine ouverture d'esprit ! remarqua Burce avec un petit sourire aux lèvres.

Madame Duquesne jeta un coup d'œil à sa montre. Le rendez-vous avec Raudive était prévu dans moins d'une heure.

— Bon, il ne faudrait pas trop tarder. Je vais chercher les cafés et on y va, dit-elle en prenant les trois jetons sur les plateaux.

35

Entrer dans la bibliothèque de Raudive, c'était comme pénétrer dans un temple sectaire tenu par un gourou. L'atmosphère
des lieux dégageait un mélange étrange de mysticisme et de fana-
tisme délirant saupoudré d'encens et d'odeurs de cire fondue, et le
mystérieux pentagramme en plomb orné de six étoiles suspendu
au mur d'entrée ne faisait qu'accentuer ce malaise oppressant.

Après quelques bavardages préliminaires sur les difficultés
de communication avec les trépassés et sur les investissements
nécessairement coûteux pour établir les miraculeux contacts
avec le monde de l'invisible, William Raudive posa son verre de
cognac sur la cheminée et tisonna le feu, tâchant de rassembler
ses pensées pour arriver à l'essentiel. Marlène, Roland et Maurice,
assis en ligne sur les fauteuils crapaud, étaient silencieux, dans
l'expectative. Le moment des discussions était terminé. Il était
temps pour le médium de vendre le fruit de son travail.

— Comme a dû vous le dire monsieur Duquesne, commença
Raudive, j'ai aujourd'hui deux enregistrements à vous proposer.

Il rejoignit son bureau et prit dans sa main un coffret, le
sourcil froncé et en faisant la moue, la lèvre mince de sa grande
bouche au-dessus de son menton en galoche. Dans cette position,
sa mâchoire évoquait un terrible piège susceptible de s'ouvrir à
tout moment pour faire de sa proie une minuscule bouchée. Il
souleva le couvercle de la petite boîte marquetée en laque noire

et se tourna vers eux. Avec une surprenante rapidité, il changea de mine et sourit d'un air affable.

Raudive semblait vouloir retarder le moment que les trois visiteurs espéraient. Sa fine main droite ornée d'une chevalière en diamant caressait maintenant les deux cassettes extraites du réceptacle chinois avec un mouvement répétitif et agaçant qui révélait une jubilation certaine.

Il tendit les boîtiers en s'asseyant.

— En fait, sur ces deux enregistrements on reconnaît bien la voix d'Alexandre, mais sur l'un d'eux Alexandre ne parle exclusivement que de Stéphane et je pense que celui-ci intéressera monsieur Burce.

Raudive joignit les paumes et établit un contact visuel avec ses invités dans l'attente d'une réaction. Marlène, qui était maintenant la plus proche du médium, remarqua sous son œil gauche un hématome mal dissimulé par du maquillage. Sa peau, à cet endroit précis, lui évoqua le brun de la terre quand le soleil l'a craquelée avant de la changer en fine poussière et son visage tout entier lui fit l'effet d'un masque mortuaire.

Dieu que ce type est antipathique ! pensa-t-elle en détaillant ses rides qui exprimaient le mépris et la haine.

— Hors de question pour moi d'acheter un enregistrement si ce n'est pas mon fils qui parle ! s'exclama Burce rouge de colère en jetant la cassette sur le plateau de marbre comme s'il s'agissait d'un objet brûlant.

— Vous savez, ce n'est pas nous qui pouvons décider l'ordre des choses. Ici-bas, il faut savoir accepter ce qui nous est offert et prier pour remercier ; c'est là-haut que tout se règle, dit Raudive en pointant son index au plafond. S'il ne tenait qu'à moi…

— Nous prenons les deux enregistrements, dit Roland pour couper court en ajoutant 2 000 euros dans l'enveloppe qu'il avait prévue de donner.

Maurice Burce se sentait trahi, d'où le dégoût qu'il éprouvait. Il avait vraiment cru que cette fois-ci il serait revenu du château en emportant chez lui la voix de Stéphane. Le médium lui avait pourtant promis que s'il obtenait la collaboration des Duquesne le contact serait à nouveau possible. En fait, il n'en était rien. La manipulation de Raudive à son égard avait été d'un total cynisme. Faites coopérer les Duquesne avec moi et vous entendrez à nouveau votre fils. Tu parles ! pensa Burce avec amertume. Complètement écœuré, il se leva et se dirigea vers la porte.

— Bon, moi, je n'ai plus rien à faire ici, je vous attends dans la voiture ! lança-t-il avant de disparaître.

William Raudive prit un air désolé en comptant négligemment les billets que Roland venait de lui remettre.

— Je suis vraiment très peiné pour votre ami, mais en réalité les communications avec l'au-delà ne sont pas aussi simples qu'il y paraît, dit-il en se frottant la joue gauche. Je n'ai pas voulu le décevoir outre mesure, mais ma médiumnité me laisse penser qu'il n'y aura plus jamais de contact possible avec Stéphane Burce.

— Plus jamais ? Mais comment pouvez-vous en être aussi sûr ? s'offusqua Marlène.

— J'en suis sûr, c'est tout ! cria presque Raudive en grimaçant aussitôt un sourire poli pour tenter de faire oublier son mouvement d'humeur.

Puis, après avoir repris son calme, il appuya sur un bouton de nacre scellé sous le bureau pour appeler son domestique et ajouta :

— Revenez me voir la semaine prochaine, j'aurai autre chose d'intéressant à vous proposer.

Le majordome pénétra dans la bibliothèque pour les raccompagner.

L'entretien était terminé.

Tout est réglé comme du papier à musique, ici, pensa Roland en serrant la main blanche de Raudive.

36

Roland avait rendez-vous avec Florence Hubert pour remplir les formulaires du constat. Dans le taxi qui l'emmenait à la brasserie du Coq d'or, il repensa à la nuit qui venait de s'écouler en regardant les premières gouttes de pluie s'écraser sur le pare-brise.

Tout avait été si surprenant ! En rentrant de chez Raudive avec Maurice et Marlène, ils avaient écouté les vingt minutes d'enregistrement avec une attention particulièrement soutenue jusqu'aux petites heures du matin. Combien de fois d'ailleurs avaient-ils repassé les bandes ? Quinze fois ? Trente fois ? Davantage ? Il ne savait plus. Mais maintenant, il connaissait tout par cœur : le moindre souffle, le moindre mot, le moindre bruit, tout. Doué d'une excellente mémoire auditive, l'anesthésiste avait eu le temps de mémoriser l'intégralité des cassettes, si bien que, lorsqu'il voulait s'en donner la peine, rien ne pouvait lui échapper et les détails les plus insignifiants s'imprimaient dans son cerveau comme sur le disque dur d'un ordinateur.

Sur l'enregistrement destiné à Burce, Alexandre disait que Stéphane n'était pas autorisé à parler aux vivants et qu'il ne pouvait le faire que par son intermédiaire. Les messages qu'il délivrait à son père étaient des preuves d'amour et d'éternelle survivance. D'après les dires d'Alexandre, Steff était très occupé. Il devait accueillir les nouveaux trépassés, pour la plupart complètement

213

perdus en arrivant là-haut, et cette mission était incompatible avec toute tentative de communication directe avec le monde terrestre. Il regrettait cet état de fait, mais c'était pour lui la seule façon de progresser pour rejoindre les sphères plus élevées. Il demandait aussi à son père de ne pas lui en vouloir et de continuer à maintenir le contact. L'autre cassette était aussi émouvante que la première. Il y était aussi question d'amour, bien sûr, mais en plus, dans une certaine mesure, de pédagogie. Alex expliquait à ses parents comment se comporter face à la mort : il leur disait qu'il ne fallait être ni triste ni nostalgique car ce qui attendait les vivants derrière la lumière était un monde merveilleux dont il ne fallait surtout pas avoir peur, bien au contraire. Et puis il y avait eu cette phrase qu'Alex avait prononcée. Une phrase, ou plutôt un groupe de mots incompréhensibles ânonné à deux reprises en tout début de bande ; juste après « *Papa, c'est moi, Alex* », Roland était revenu plusieurs fois sur ce passage sans comprendre, et le rythme des sons émis raisonnait dans sa tête comme une mélopée lancinante :

*Pch**papacémoialex**chchv**acalsandsuis**chchchv**acalsandsuis**chch.*

Roland s'interrogea de nouveau : « vacalsandsuis » pour « vacances en Suisse » ou « va 406 » ? Mais aucune de ces deux traductions ne trouvait de signification précise.

En fin de bande, une autre série de mots l'intriguait :
*Pchchch**iomerviléd**chchchc…*

« *Yo* » *pour* « *je* » *en espagnol, ensuite :* « *mère* », *oui, ça, d'accord, mais pourquoi* « *vilaine* » *? Pourquoi irait-il dire qu'il est une vilaine mère ? Ou alors :* « *Homère vit laide* » *? Ou bien encore :* « *Oh merveilleux !* » *…*

— Cela fait 26 euros, monsieur !

Le chauffeur de taxi sortit Roland de ses réflexions.

Après avoir réglé sa course, il pénétra dans la salle bruyante du Coq d'or qui, à cette heure, accueillait une clientèle d'hommes d'affaires souhaitant déjeuner rapidement au beau milieu d'un brouhaha de conversations animées à peine couvert par des bruits de vaisselle entrechoquée.

Florence Hubert était déjà là. Attablée devant un café fumant, elle fit un petit signe de la main pour qu'il puisse la repérer. Sur sa gauche et légèrement en retrait, trônait sur un haut guéridon la reproduction en plâtre du volatile gaulois recouvert de peinture dorée, et cette couleur jaune contrastait violemment avec le rose des briques apparentes du mur où venait s'appuyer un très long bar en acajou vernis qui, avec sa coursive chromée, évoquait sans vergogne la proue d'un voilier de luxe.

Roland prit place et commanda un whisky Perrier.

— Vous n'avez pas encore déjeuné ? remarqua-t-elle après lui avoir serré la main.

— Je constate que l'on ne peut rien cacher à une médium, dit-il en souriant.

— Simple déduction, s'excusa-t-elle. Le whisky est bien un apéritif, non ?

Roland rit de bon cœur et lui montra les formulaires du constat qu'il avait déjà remplis chez lui.

— Où dois-je signer ? dit-elle en soulevant au-dessus des feuilles un stylo sorti de son sac.

— Euh, vous ne lisez pas avant ?

— Inutile, je vous fais confiance. De toute façon, je suis en tort, alors…

— Bon, très bien, vous mettez « lu et approuvé », vous datez et signez ici… là et là, dit-il en désignant le bas de trois pages.

Il remarqua son écriture fine et appliquée et l'élégance de ses gestes.

— J'espère que cet incident ne vous a pas fait louper votre train.

— Non, heureusement. Il fallait que je me rende chez un client à Marseille pour un rendez-vous important.

— Pour une voyance, je suppose ?

— Non, c'était pour nettoyer une maison. Je fais ça aussi, répondit-elle en tendant les documents remplis.

— Ah bon ? fit Roland en soulevant les sourcils pour marquer son étonnement. Si vous pratiquiez les mêmes tarifs que le médium que je consulte, je vous garantis que vous n'auriez nullement besoin de faire des ménages !

— Je pense que l'on ne parle pas de la même chose, dit la jeune femme en éclatant de rire. Quand j'interviens pour nettoyer une maison, je ne fais pas la poussière mais je débarrasse l'habitation des entités présentes dans le bas astral. Je les localise, les identifie et leur demande de monter, de partir, vous comprenez ?

— Euh... oui, je comprends. Et si elles refusent de partir, qu'est-ce que vous faites ?

— Eh bien c'est rare, mais ça arrive quelquefois. Dans ces cas-là, j'essaye de faire un compromis : je demande aux entités présentes de continuer à vivre dans la maison sans gêner les habitants et la plupart du temps ça marche, les entités acceptent et tout rentre dans l'ordre.

— Et vous dites ça aux personnes qui vous engagent ?

— Bien sûr, il faut toujours dire la vérité aux gens. En médiumnité, on n'obtient pas forcément ce que l'on désire. Il faut être honnête et savoir reconnaître ses échecs. Nos guides nous autorisent ou pas à pratiquer nos dons dans certaines circonstances et selon des règles bien particulières. Nous ne sommes en fait que des canaux-relais et il faut bien avouer qu'il y a des jours où ça marche super bien et d'autres, beaucoup moins, comme quand on est fatigué ou perturbé dans nos propres vies.

— Mais dites-moi, comment s'aperçoit-on que sa maison est occupée par des entités ? Il faut déjà être au courant de ce genre de phénomène pour faire un pareil diagnostic, non ?

— Oui, bien sûr, vous avez raison. En réalité, les présences d'entités dans les habitations doivent être beaucoup plus fréquentes qu'on ne le pense car la plupart des gens ignorent les effets engendrés par des occupants qui sont finalement aussi indésirables qu'invisibles.

— Justement, ce sont quoi, ces effets ?

— Ils sont très variés. Ce peut être des bruits inexpliqués, des armoires qui craquent, des pas dans des escaliers ou sur des vieux planchers, des coups dans des murs, des objets qui se déplacent et qu'on ne retrouve plus, des portes qui se ferment ou qui s'ouvrent sans raison, des lumières qui s'allument ou qui s'éteignent toutes seules, des visages qui se forment sur des écrans de téléviseurs, ou alors ce sont des signes moins évidents qui apparaissent dès que le seuil de la maison est franchi comme des insomnies, des maux de tête, des irritabilités, des agressivités et des disputes incessantes, un sentiment de mal-être général, des angoisses… Beaucoup de choses en fait, mais dans ces cas-là les gens demandent plus volontiers les services d'un plombier, d'un électricien, d'un réparateur de télé ou d'un médecin que ceux d'un médium. Au fait, vous m'avez bien dit au téléphone que vous étiez médecin anesthésiste, n'est-ce pas ?

— Oui, pourquoi ?

— Je trouve très étonnant que vous me posiez toutes ces questions Je ne connais pas beaucoup de médecins qui s'intéressent aux médiums et encore moins qui en consultent. Vous devez être bien placé pour savoir que dans votre profession il est de bon ton de traiter tout ça par le mépris.

— C'est vrai, je dois être l'exception qui confirme la règle. En fait, ce sont les circonstances de ma vie qui m'ont conduit à consulter.

— Des circonstances douloureuses, j'imagine, fit-elle en plissant son nez.

Roland hésita un moment avant de répondre. Il ne connaissait pas cette femme et pourtant son intuition le poussait à lui faire confiance.

— En fait, tout a commencé le jour où ma vie a basculé. Ce jour-là, un accident de moto a tué Alex, mon fils unique. J'ai d'abord refusé l'aide d'un médium qui se proposait de me mettre en relation avec lui. Je trouvais ça complètement invraisemblable. J'ai bien changé… Depuis, mon esprit s'est ouvert.

— Et qu'est-ce qui vous a fait changer ?

Elle m'agace avec ses questions. Elle se prend pour un inspecteur de police ou quoi ? De toute manière je n'ai rien à cacher, autant lui dire la vérité !

— J'ai rencontré par hasard Henry Vignaud, un autre médium, et…

— Les rencontres d'une vie ne sont pas le fruit du hasard, tout est déjà écrit ; même notre rencontre fait partie de notre destin, coupa-t-elle en avalant sa dernière gorgée de café.

— Sans doute… Donc ce médium faisait une séance publique après une conférence donnée par le père Brune sur la TCI, et j'ai été sidéré par la justesse de ses voyances. L'une d'elle a d'ailleurs permis de sauver la vie de ma femme grâce à l'intervention de Stéphane, un ami de mon fils, qui est rentré en communication avec Henry Vignaud ce soir-là. Ensuite j'ai eu des lectures, des discussions avec des amis moins bornés que moi, et, oui, je peux dire qu'aujourd'hui je suis un homme nouveau, ouvert sur la spiritualité et bien heureux de l'être. Je considère la mort comme un passage obligé vers un monde meilleur et non plus comme le néant absolu. J'accepte aussi l'idée qu'une communication soit possible entre notre monde et l'au-delà. Oui, j'ai vraiment radicalement changé d'opinion sur toutes ces questions qui me semblaient autrefois complètement lourdingues.

Pendant qu'il parlait, Roland s'aperçut que de temps en temps Florence Hubert le fixait comme s'il lui était poussé deux têtes et il ne put s'empêcher de lui en faire la remarque.

— Qu'est-ce qu'il y a au-dessus de mon épaule ? demanda-t-il intrigué.

— Regardez discrètement derrière vous et dites-moi ce que vous voyez devant la porte des toilettes « Hommes » ?

Roland posa son verre de whisky et se retourna lentement.

— Rien. Non, je ne vois rien de particulier, dit-il en plissant les yeux pour mieux se focaliser sur l'endroit.

— Je m'en doutais ; c'est une entité. Elle est tellement bien matérialisée que de là où je suis j'ai vraiment l'impression que c'est quelqu'un de vivant. Vous êtes sûr de ne rien voir, vous ?

— Absolument, dit Roland en souriant. Vous pouvez me la décrire, cette entité ?

— Oui, très bien… Ah, tenez, elle s'apprête à rentrer dans les toilettes des femmes. C'est un jeune homme d'une vingtaine d'années, il est grand, d'allure sportive. Il a un bonnet rouge, un anorak et porte un sac de montagne…

Roland se retourna à nouveau. Le temps d'un flash, il crut voir la silhouette que venait de lui décrire Florence pénétrer dans le local interdit aux hommes.

Bon sang, Stéphane ! pensa-t-il aussitôt.

Il voulut en avoir le cœur net et bondit de sa chaise en manquant renverser la table.

En le voyant entrer comme une furie et ouvrir toutes les portes les unes après les autres pour constater qu'il n'y avait personne, une matrone qui refaisait son maquillage devant un lavabo hurla de terreur en pensant avoir affaire à un détraqué mental. Roland n'y prêta aucune attention et tambourina sur le seul battant resté verrouillé. Il patienta quelques secondes et entendit un bruit de chasse d'eau. La porte s'ouvrit tout doucement. Une grand-mère apeurée sortit de là comme un vieux lapin débusqué d'un terrier. Mais Roland n'avait rien d'un renard et un sentiment de honte l'envahit. Il s'excusa de son mieux, balbutia quelques paroles rassurantes et sortit, rouge de confusion, sous les regards accusateurs des clients qui avaient subi tout ce remue-ménage.

Personne, il n'y avait personne.

Roland revint s'asseoir.

La médium s'amusa de sa réaction infantile.

— Il faut toujours faire confiance aux médiums. Je vous avais bien précisé qu'il s'agissait d'une entité ! soupira-t-elle en hochant la tête. En plus, pendant que vous étiez là-bas, ce garçon est venu me dire que quelqu'un de votre famille était en danger, un fils, semble-t-il. Vous m'avez bien dit qu'Alex était votre fils unique, n'est-ce pas ?

— Oui, absolument, répondit Roland en reprenant son souffle et en épongeant la sueur de son front avec le dessous de verre en papier de son whisky.

— C'est bizarre, ça, j'ai entendu : « *Roland… fils en danger… vite… il faut faire vite.* » L'entité a bien insisté là-dessus.

Un bonhomme corpulent arriva vers eux. Il avait la mine renfrognée et se présenta comme étant le patron de l'établissement. Il demanda à Roland sur un ton ferme mais courtois de régler l'addition et de quitter les lieux au plus vite pour éviter un autre scandale car une vieille dame prétendait avoir été agressée dans les toilettes et voulait appeler la police.

Roland obtempéra sans la moindre contestation.

— Si vous voulez bien, nous allons poursuivre cette conversation dehors, dit-il à Florence Hubert.

Et ils sortirent tous les deux sous une pluie battante.

— Je suis désolée, mais je dois partir. Voulez-vous que je vous dépose quelque part ? lui demanda-t-elle en mettant sa veste au-dessus de sa tête pour se protéger du déluge.

— Non, merci, vous êtes très aimable. Je vais aller manger un morceau quelque part avant d'aller faire des courses et je rentrerai ensuite chez moi.

— Pensez à ce que je vous ai dit, hurla-t-elle en s'éloignant pour couvrir le bruit des trombes d'eau qui s'abattaient sur la ville.

*

Au même moment, Marlène, allongée sur le sofa du salon, s'apprêtait à faire la sieste devant une série américaine diffusée tous les après-midi, lorsque soudain un coup de tonnerre retentissant transforma son feuilleton favori en un paysage de neige tandis que les ampoules du lustre et des appliques murales se mirent à clignoter furieusement.

Elle se redressa et se frotta les yeux.

Là, au beau milieu des mouchetures grises qui envahissaient tout l'écran de son téléviseur, se dessina une forme aux contours de plus en plus précis, une sorte de sphère électronique qui se transforma peu à peu en un ovale avec un halo plus flou dans sa partie supérieure. Et tout ça se creusa, se bomba, se modela en prenant du relief. Un relief organisé et extrêmement complexe suggérant une image déterminée par une intelligence supérieure. Un relief familier pourtant. Celui d'un paysage, ou plutôt non, celui d'un visage. Oui, c'était bien ça, aucun doute possible : il s'agissait bien d'un visage.

Ce visage-là, Marlène le reconnut immédiatement.

Et pour cause : c'était celui de Stéphane !

37

Florence Hubert descendit les escaliers du domicile des Duquesnes en affichant un sourire apaisé.

— Vous pouvez dormir tranquille, je suis formelle, il n'y a aucune entité ici, dit-elle en rangeant son pendule conique dans une bourse de tissu mauve.

Mais Roland, qui attendait impatiemment la médium dans le hall d'entrée, n'avait pas l'intention de se contenter d'une pareille réponse. Il avait fait appel à ses services car sa femme lui avait raconté ce qui s'était passé pendant qu'il était en ville. L'apparition du visage de Stéphane sur l'écran en même temps que les phénomènes électriques avec les ampoules du salon correspondaient bien à ce que lui avait dit Florence Hubert au sujet des habitations occupées par des entités non ascensionnées. Et maintenant, si ce qu'elle lui avait expliqué dans cette brasserie était bien réel, il fallait qu'elle débarrasse sa maison de tous ces indésirables.

— Comment ça, aucune entité ? demanda Roland les mains sur les hanches. Comment expliquez-vous alors ce qu'a vécu ma femme pendant mon absence ?

— Il n'y a qu'elle qui a pu observer ce phénomène chez vous, non ? Je veux dire, votre femme était bien seule lorsque tout cela est arrivé ? Il n'y a pas eu d'autre témoin ?

— Non, hélas !

— Vous-même, vous n'avez rien constaté de particulier ?

— Non, absolument rien !

— Alors je ne vois qu'une seule solution possible : votre femme est médium. Elle est capable de capter des choses que seule une minorité de personnes peut percevoir ! C'est la définition même de la médiumnité. Voilà ! Et combien de fois se sont produites ces bizarreries ?

— Combien de fois ? Mais une seule fois, et c'est largement suffisant pour perturber toute une vie ! s'indigna Roland. Comment pouvez-vous supposer un seul instant que ma femme soit médium ? Moi qui la connais mieux que vous, je peux vous dire que c'est faux.

— Vous pensez la connaître mieux que personne, corrigea Florence Hubert. Mais en réalité je peux vous dire qu'il arrive aussi que des médiums ignorent leurs propres capacités avant que quelqu'un vienne leur ouvrir les yeux. Lorsque j'ai vu Stéphane devant la porte des toilettes de cette brasserie, personne d'autre que moi ne le voyait et il n'aurait servi à rien de demander à un médium de venir nettoyer l'endroit puisqu'il n'y aurait trouvé aucune entité. Vous comprenez ?

— Vous avez peut-être raison. Je ne sais plus trop quoi penser, en fait ! Venez à la cuisine, nous allons boire une boisson chaude en attendant Marlène. Elle ne devrait plus tarder maintenant, dit Roland en regardant sa montre. Thé ou café ?

— Un café sans sucre, s'il vous plaît, répondit-elle en prenant place sur un des tabourets agencés le long de la table-bar.

— Mais alors, comment peut-on savoir si on est médium ? demanda Roland en introduisant une capsule de café moulu dans le percolateur.

— On le sait, c'est tout ! Moi, ma médiumnité m'a été révélée après ma NDE, mais en fait j'ai pu visualiser des entités dès l'âge de huit ans.

— Marlène aussi a vécu une NDE ; en fait, elle a même vécu deux NDE et elle a rencontré Stéphane chaque fois.

— Alors ne cherchez pas, votre femme est devenue médium à la suite de ses expériences. Ce sont des circonstances très

224

favorisantes pour développer des facultés paranormales, certains sujets deviennent même guérisseurs ou magnétiseurs après leur NDE.

— Vous voulez bien me raconter votre NDE ? demanda Roland en versant le café dans deux petites tasses de porcelaine.

Florence Hubert posa les coudes sur ses genoux et dessina un V avec les mains pour y caler sa tête. Elle inspira profondément et ferma les yeux pour mieux se concentrer. Roland comprit qu'elle était prête à lui faire revivre l'intégralité de son expérience.

— Nous étions en Corse avec mon mari et nous allions faire de la plongée sous-marine, commença-t-elle en regardant le plafond comme si la projection du film de cette journée allait débuter là-haut. Nous sommes partis un matin de bonne heure avec des amis, en bateau, à la recherche d'un site que nous n'arrivions pas à localiser. Et ça m'a énormément agacée. J'étais tellement énervée que je n'avais plus spécialement envie de plonger. Je sentais quelque chose de bizarre se préparer, mais quoi ? Je n'en savais rien. Nous avons enfin trouvé l'endroit et nous sommes partis dans l'eau en deux groupes, d'un côté nos amis et de l'autre nous deux. Je suis descendue à quarante et un mètres de profondeur. Je me suis posée sur le sable avec mon mari, qui lui est allé devant moi. Il avait vu des mérous. Je suis restée juste derrière ses palmes, et là tout à coup je suis passée dans un courant très froid, mais vraiment très froid, alors que mon mari, lui, n'avait rien senti en passant au même endroit deux secondes auparavant ! J'ai regardé au-dessus de moi, mais on ne voyait pas le plafond de l'eau. J'ai aspiré une première fois dans mon embout et j'ai avalé de l'eau. Mon embout ne me donnait que de l'eau salée et non de l'air. Je me suis dit que ce n'était pas possible. J'ai donc aspiré une deuxième fois et j'ai avalé une deuxième fois de l'eau de mer ! C'est à ce moment-là que je me suis dit : « Florence, c'est la fin, tu es morte !... » J'ai senti mon cœur battre si fort que j'avais l'impression qu'il allait sortir de moi. J'ai fait le plus de bruit possible tout en aspirant une troisième fois de l'eau dans cet embout. Mon mari s'est retourné et je lui ai fait comprendre que j'étouffais, que je ne pouvais plus rester dans l'eau, que j'avais un gros problème avec mon équipement. Alors il m'a donné son embout de sécurité. Je l'ai mis, mais c'était exactement pareil ! Encore de l'eau ! J'ai paniqué. J'étais terrifiée à l'idée de mourir aussi bêtement. Mon mari a essayé à son tour l'embout de sécurité qu'il venait de me donner et lui n'a pas eu de problème ! Alors il m'a donné son embout personnel et là, le phénomène s'est reproduit. C'était pour moi un cauchemar : j'étouffais… j'avalais de l'eau et j'allais mourir… Je ne sais pas ce qui m'a pris alors, car quand on plonge on nous apprend les règles élémentaires de sécurité et que j'ai fait une chose complètement interdite à une telle profondeur : j'ai décapelé.

— Décapelé ?

— Oui, ça veut dire tout enlever. C'est comme ça qu'on dit quand on fait de la plongée. À quarante et un mètres j'ai tout retiré, le masque, le gilet, l'embout… Tout. Je ne sais pas ce que mon mari a fait à ce moment-là. Je me souviens seulement de la brume dans laquelle j'étais arrivée, une brume douillette, chaude, dans laquelle j'étais allongée, soutenue par des bras très forts qui étaient ceux de mon guide. Je me souviens de la vitesse à laquelle j'y suis allée. Plus vite que dans les montagnes russes, j'ai traversé l'eau et le ciel. Je fixais une lumière intense sans avoir mal aux yeux. Cette lumière était juste au-dessus de la brume où je me trouvais. Quand on m'a demandé si je voulais me retourner pour me voir dans l'eau, je me souviens avoir dit non. Je ne sais pas où je suis arrivée. Tout ce que je sais, c'est que j'étais bien, au calme et au chaud. J'ai revu mes trois filles, ma famille et certaines scènes de mon enfance. J'ai eu un choix à faire car on m'a proposé de couper un fil d'argent qui était sur ma gauche et qui plongeait sous moi sans que je puisse en distinguer l'extrémité. Je ne me souviens plus de ce qu'on m'a dit ensuite, mais je peux garantir que j'ai réintégré mon corps par la tête, comme si elle se trouvait grande ouverte au niveau du crâne. J'ai entendu un grand « Boum ! ». Je me suis sentie réincorporée doigt par doigt jusqu'aux pieds. Ce fut un choc très violent. J'étais encore sous l'eau quand je suis revenue à moi et que j'ai vu mon mari se débattre et me frapper pour me maintenir en vie. Il a réussi à me remonter à la surface, en essayant de faire des paliers. La remontée a duré un bon moment et il m'a ensuite raconté ne plus avoir vu de bulles pendant quatre ou cinq minutes environ. En fait, ce sont les minutes qui correspondent à mon départ et à mon retour à la vie. Quand je suis remontée à la surface, j'avais les oreilles qui saignaient, je vomissais et je ne sentais plus mon côté droit. J'avais mal alors que j'étais si bien avant. Je suis partie en caisson de décompression pendant six heures. J'ai eu mal en revenant à la vie et non pas en partant ! C'est à ce moment-là que j'ai enfin compris ce qu'il fallait que je fasse de ma vie…

— Devenir médium ? demanda Roland scotché par le récit extraordinaire de Florence Hubert.

— Oui, j'avais fait mon choix. J'ai parlé à mon mari de ce que je voulais faire de ce don et de ce qui allait se passer. Depuis ce jour-là, j'ai reçu beaucoup de signes de l'au-delà et j'ai vécu de nombreuses manifestations du monde invisible. J'ai fait plusieurs décorporations, dont l'une, la plus émouvante, a été la rencontre avec mon grand-père : j'ai pu le serrer dans mes bras et le sentir ; il m'a accueillie avec un amour infini. Sur le coup, j'ai eu un peu peur car c'est très impressionnant, et quand j'y repense je suis au bord des larmes. J'ai fait des voyages astraux et j'ai reçu un enseignement de mes guides qui, toutes les nuits, m'insufflaient l'après-vie et gravaient en ma mémoire tout ce que je devais savoir. J'ai eu de nombreux messages de personnes décédées qui correspondaient exactement aux informations données par leurs proches. Ensuite tout est allé très vite. Je suis partie à La Rochelle assister à une séance médiumnique donnée par Henry Vignaud, et je me suis lancée toute seule sur ses traces après avoir vu comment il travaillait.

— Vous connaissez Henry Vignaud ?

— Oui, pourquoi ?

227

— Parce que c'est précisément ce monsieur qui m'a fait modifier mon point de vue sur les médiums. Avant cette rencontre, pour moi tous les médiums étaient assimilés à des charlatans !

— Vous savez, dans notre milieu nous nous connaissons tous. Enfin, je parle des médiums, les vrais, parce qu'il existe aussi une foule considérable d'escrocs et de charlatans, comme vous dites.

— Et monsieur Raudive, vous le connaissez ?

— William Raudive ?

— C'est ça : maître William Raudive, s'il vous plaît, ironisa Roland.

— Oh ! lui, c'est tout sauf un médium, ricana Florence.

— Ah bon ? Qu'est-ce qui vous fait dire ça ? demanda Roland en fronçant les sourcils.

— Ce type est un parfait escroc. Il a tenté de se faire passer pour un médium en investissant beaucoup d'argent pour employer une véritable armée de détectives privés qui enquêtaient sur les gens qui le consultaient. La supercherie a été dénoncée et ce médium d'opérette est aujourd'hui exclu de toutes les associations spirites. Vous le connaissez ? J'espère que vous n'avez pas eu affaire à lui !

— Non, non, c'est un ami qui m'a parlé de ce médium, mentit Roland qui n'osa pas aller plus loin dans ses confidences.

Florence devina que ce qu'elle venait de dire contrariait Roland et elle voulut nuancer sa critique en trouvant quelques circonstances atténuantes.

— Raudive s'est fait embarquer dans une espèce de folie des grandeurs. Au début, quand ses affaires marchaient bien, il gagnait très bien sa vie. Il a emprunté beaucoup d'argent pour faire prospérer son commerce et a acheté un château en Ariège pour recevoir des clients fortunés. Ensuite, après ce scandale qui s'est révélé être un abus de confiance manifeste, il a été complètement ruiné et a même fait de la prison. Il a tout perdu d'un seul coup : sa réputation, son argent et même sa famille.

— Il avait une famille ?

— Oui, une femme et une fille de six ans. Elles ont été tabassées à mort par trois jeunes gens complètement saouls pendant qu'il était en prison. On a parlé de cette histoire à la télé, ça ne vous dit rien ?

— Non. Je regarde très peu la télé…

— Dès le début j'ai bien vu que ce Raudive ne pouvait pas être médium. Et nous étions plusieurs à partager cet avis.

— Pourquoi ?

— Il avait une aura très sombre ; marron foncée et même presque entièrement noire par endroit.

— Une aura ?

— L'aura est la couleur du corps subtil qui entoure le corps physique. Nous, les médiums, nous arrivons à visualiser les auras des gens qui nous entourent. Pour être simple, une aura claire témoigne d'une bonne évolution spirituelle ; à l'inverse, une aura sombre reflète un esprit trop matérialiste enclin à des sentiments de haine ou de violence. Au fur et à mesure de notre évolution terrestre, nous progressons selon sept plans différents. On peut changer de plan au cours d'une seule vie terrestre, mais la plupart du temps ces changements se font au fil des réincarnations successives. Selon cette classification aurascopique, Raudive se situait dans le plan 1 avec une aura grise et noire.

— Vous pouvez voir la mienne ? demanda timidement Roland.

— Bien sûr, la votre est bleue et verte. Ce qui veut dire que vous êtes dans le plan 4 : le bleu signifie que votre spiritualité se met en place, que tout ce qui concerne l'autre monde vous semble normal, tandis que le vert est l'aura de ceux qui soignent, ce qui est normal puisque vous êtes médecin.

— Et vous, vous êtes de quelle couleur ? s'amusa Roland.

— Blanc et bleu, c'est-à-dire dans le plan 5, celui de la médiumnité, du don de soi, de la réceptivité et des intuitions.

— Ah bon, vous n'êtes pas parfaite alors, puisqu'il y a encore deux plans au-dessus de vous si je compte bien, dit Roland en inclinant la tête sur le côté comme pour la narguer.

— Non, bien sûr. Le plan 6 est réservé aux guides : quand on arrive à ce plan, le parcours est fini ; quant au plan 7, à l'aura dorée, c'est celui des maîtres ascensionnés.

— Ah, je comprends, c'est pour ça que Raudive se fait appeler maître ! dit Roland en riant.

— Il en est bien loin, le pauvre ! s'esclaffa Florence.

Mais le bruit de la porte d'entrée qui venait de s'ouvrir brusquement interrompit leur fou rire.

38

Marlène et Maurice Burce rejoignirent Florence et Roland dans la cuisine, les bras chargés de paquets car madame Duquesne, privée de conduite, avait profité de la gentillesse de Maurice pour faire un maximum de provisions dans les grandes surfaces environnantes.

— Tenez, Maurice, débarrassez-vous de tout ça ici, dit Marlène en posant ses sacs sur la grande desserte en bois située au-dessous des placards suspendus.

Puis, se tournant vers son mari, elle ajouta sur le ton de la plaisanterie :

— Je vois que tu profites de ce que j'ai le dos tourné pour être en charmante compagnie. Tu ne nous présentes pas ?

Roland et Florence, surpris au beau milieu de leur discussion par cette intrusion intempestive, avaient assisté sans dire un mot au débarquement des victuailles et la question de Marlène les ramena à la réalité.

— Madame Hubert : médium et scooterophobe ; Marlène : mon épouse, et Maurice Burce : un ami de la famille, fit Roland en faisant de grands gestes pendant que Florence serrait les mains qui se tendaient vers elle.

— Ne soyez pas inquiète, mon mari m'avait prévenu de votre visite. Alors, avez-vous trouvé des entités ici ? demanda Marlène.

— Il n'y en a aucune. Votre mari m'a raconté ce qui s'était passé. À mon avis, vous avez eu un contact avec Stéphane parce que vous avez des aptitudes à communiquer avec le monde spirituel. Et cette faculté a pu se développer à la suite de votre NDE.

— Une sorte de channeling, en somme, commenta Maurice.

— Mais que font ici ces tasses pleines de café froid ? dit Marlène en jetant leur contenu dans l'évier.

— Nous les avons oubliées, notre conversation était tellement passionnante… dit Roland en se frottant le visage.

— Le channeling est un terme qui a été souvent employé à mauvais escient, reprit Florence. En fait, channel, en anglais, veut dire « canal ». Le channeling est donc la communication qui s'établit grâce à un canal, qu'il s'agisse d'une personne ou d'une technique. C'est aussi un échange d'information entre le monde physique et le monde spirituel, entre les hommes et leurs guides. Donc, oui, dans le cas de Marlène il s'agit bien de channeling. Voilà ! Moi, ce qui m'intrigue beaucoup dans toute cette histoire, c'est que l'on a vraiment l'impression que Stéphane veut communiquer avec vous pour passer une information importante. Il est apparu dans chaque NDE de Marlène, sur l'écran de votre téléviseur, dans le contact d'Henry Vignaud et je l'ai moi-même vu à la cafétéria. Il insiste. Il a quelque chose à nous dire, c'est sûr, mais quoi ?

— Il n'y a qu'à son père qu'il ne fait plus signe, se plaignit Maurice.

— Vous êtes le papa de Stéphane ?

— Oui, pardon, j'ai oublié de le préciser en faisant les présentations, s'excusa Roland.

— C'est bizarre que vous n'ayez pas de signe de lui. Pourtant vous dites que vous en avez déjà eu, c'est ça ? demanda Florence.

— Oui, au début maître Raudive me fournissait des…

— Ah, c'est vous ? coupa Florence en envoyant un sourire moqueur à Roland.

Le docteur Duquesne était de plus en plus gêné. Après ce que lui avait dit Florence Hubert sur Raudive, il n'avait pas du tout envie de révéler qu'il avait lui aussi était suffisamment naïf pour faire appel à ses services, et son mensonge était maintenant sur le point d'être dévoilé. En plus, il ne tenait pas à ce que la médium ait les mêmes propos devant Burce, car le malheureux avait tellement investi et tellement espéré que sa déception eût été trop forte. Roland pensait aussi que ce dénigrement systématique était peut-être fait pour affaiblir Raudive et qu'après tout, comme partout ailleurs, les lois de la compétition et de la concurrence devaient bien s'appliquer ici aussi.

— Roland vous en a déjà parlé ? demanda Maurice.

— Oui, je lui ai tout raconté, mentit Roland.

— Tenez, en ce qui concerne la médiumnité en TCI, je vous conseille cette association, ce sont des gens très sérieux, dit Florence en griffonnant une adresse sur une de ses cartes de visite qu'elle tendit à Maurice.

Burce jeta un coup d'œil sur le petit bristol et le rangea dans son portefeuille en se promettant de les appeler dès le lendemain.

Roland changea de sujet pour éviter de parler de Raudive :

— Pour en revenir à ce que vous disiez il y a un instant, comment faut-il procéder pour connaître le message que veut nous faire passer Stéphane ?

— D'abord s'adresser à de vrais médiums, répondit Florence.

C'est pas vrai, elle remet ça, ragea Roland.

— Oui, d'accord, on a compris, mais je veux dire, nous, à notre niveau, que peut-on faire ?

— Il semble que votre femme ait toutes les aptitudes pour établir des contacts avec lui. À condition que Marlène soit d'accord, bien sûr, vous pouvez développer ça, répondit Florence en se tournant vers elle.

— Pour l'instant j'essaye de trouver la réponse dans les textes sacrés ; je lis la Bible, dit timidement Marlène.

— Vous avez une raison bien particulière pour faire cette démarche ?

— Oui, quand je suis allée rejoindre Stéphane dans l'au-delà au cours de ma deuxième NDE, il m'a dit : « *Alex n'est pas ici. Concentre-toi sur les Écritures et je viendrai te guider.* »

— Il veut communiquer avec vous par l'écriture, voilà ce que ça veut dire. Il ne vous a pas demandé de lire la Bible ! Vous avez déjà entendu parler de l'écriture automatique ?

— Euh, non, répondit Marlène en tortillant une mèche de cheveux autour de son doigt.

Le visage de Florence Hubert s'éclaira de satisfaction comme si elle venait de trouver la solution à une énigme compliquée.

— Vous voyez, comme je l'ai déjà dit à votre mari : il n'y a pas de hasard dans la vie, dit-elle en fixant Marlène dans les yeux.

Sa voix se fit plus solennelle.

— Et si je suis là, avec vous, maintenant, c'est sûrement parce que Stéphane souhaite que je vous initie à l'écriture automatique !

39

Marlène Duquesne, comme la plupart des mères qui avaient récemment perdu un enfant, ne dormait que quatre ou cinq heures par nuit. Mais ces derniers jours, elle avait multiplié les nuits blanches. L'excitation de trouver des messages de l'au-delà par l'écriture automatique commençait à se dissiper et Marlène sentit en cet après-midi automnale une certaine lassitude l'envahir. Elle était exténuée. Pourtant, comme tous les jours à la même heure, elle allait encore essayer d'établir un contact selon le procédé que Florence Hubert venait de lui enseigner.

Florence l'avait encouragée à essayer cette technique qui avait fait ses preuves chez bon nombre de personnes désireuses de communiquer avec des disparus. Et le fait que certaines d'entre elles aient écrit des messages dans une langue étrangère qu'elles ne connaissaient pas attestait de façon évidente la réalité d'un contact surnaturel. La méthode que lui avait expliquée Florence était simple sur le principe : il suffisait de laisser sa main à disposition des esprits pour que celle-ci se déplace sur le papier en inscrivant des mots à la suite les uns des autres sans qu'ils soient séparés par des espaces. La main téléguidée jusqu'au terme du message ne reprenait son repos qu'après avoir remplie sa mission de relais avec le monde de l'invisible. Le plus difficile étant, selon la médium, de se mettre en situation de réceptivité, c'est-à-dire de se retrouver dans un état second, pour ne plus être totalement maître de ses pensées ni de ses faits et gestes, condition indispensable pour qu'un esprit puisse se manifester. Elle lui avait précisé que l'écriture « guidée » se répartissait en trois types distincts : l'écriture « automatique » où la main est dirigée par un esprit désincarné, l'écriture « inspirée » où des mots et des phrases s'inscrivent dans l'esprit de la personne qui écrit, et l'écriture « dictée » où les messages sont entendus. Florence avait insisté sur le fait que le premier type était le plus fiable, car l'écriture n'était plus sous contrôle de celui qui tenait le stylo, donc indépendante de sa volonté, mais c'était aussi le plus sujet à risques, puisque la porte était ouverte à n'importe quelle entité.

Marlène baissa le store intérieur du bureau de son mari, alluma une bougie blanche et un bâton d'encens qu'elle déposa de part et d'autre de son grand cahier ouvert sur la table de travail. Puis elle fit démarrer l'enregistrement d'une musique relaxante que lui avait donné Burce. Aussitôt, la mélodie des vagues que l'on pouvait imaginer venant mourir en émettant des chants mousseux de champagne renversé sur une plage de sable fin produisit l'effet recherché en se mélangeant harmonieusement à une douce symphonie de violons. Marlène se détendit et commença à respirer calmement en favorisant sa respiration abdominale. Enfin, elle régla la sonnerie de son réveille-matin une demi-heure plus tard, car il lui était déjà arrivé plusieurs fois de s'endormir profondément au cours de l'expérience.

Elle s'apprêtait à relire à haute voix les passages de la Bible consacrée à l'écriture directe. Elle avait souligné au crayon à papier la présentation des Tables de la Loi écrites par la main même de Dieu sur le mont Sinaï, comme cela est rapporté dans les livres de Moïse ainsi que dans l'extrait relatif au grand festin organisé par le roi Balthazar pour ses seigneurs. Marlène joignit les mains devant son visage et récita comme une prière :

« Les tables étaient l'œuvre de Dieu et l'écriture était celle de Dieu, gravée sur les Tables. »

Elle inspira profondément comme pour mieux assimiler la phrase divine et reprit en plissant son front :

« Ils burent du vin et firent louange aux dieux d'or et d'argent, de bronze et de fer, de bois et de pierre. Soudain apparurent des doigts de main humaine qui se mirent à écrire, en face du lampadaire, sur la chaux du mur du palais royal, et le roi vit la paume de la main qui écrivait. »

Ensuite, elle s'adressa à Dieu :

« Seigneur Dieu tout-puissant, je te le demande dans ton infinie miséricorde : permets à l'esprit de Stéphane d'incorporer ma main et de la guider. »

Une fois ce rituel accompli, elle s'installa confortablement sur son siège en gardant le dos bien droit, prit un crayon et fit reposer la mine sur la page blanche. Maintenant, il ne lui restait plus qu'à se mettre en état de méditation. Elle expira tout l'air qu'elle avait dans ses poumons comme pour chasser ses pensées parasites et ferma les yeux. On lui avait expliqué que pour ouvrir un channel il était primordial de savoir se relaxer pour modifier son état de conscience. Il fallait détendre son corps et permettre à son esprit apaisé de se déconnecter de l'extérieur. Idéalement, il fallait que les ondes cérébrales changent de fréquence et passent en rythme alpha. Elle se souvint de sa conversation avec le docteur Lombard à ce propos, lorsqu'elle lui avait parlé de son projet de channeling par écriture automatique. Selon Lombard, l'état alpha du cerveau est à l'inconscient ce que l'antenne est à un poste de télévision. Le neuropsychiatre lui avait aussi précisé que cet état vibratoire particulier permet non seulement de se manifester en émettant des ondes dans le cosmos, mais aussi de transmettre les communications reçues ou puisées dans d'autres mondes vibratoires, et qu'en dehors des périodes de sommeil la relaxation est effectivement le seul moyen pour atteindre cet état. Elle se remémora aussi ce qu'elle avait lu sur les différentes façons de méditer. Elle savait que ces états de transe pouvaient arriver sous hypnose ou par certaines techniques plus ou moins « artificielles », mais aussi spontanément, plusieurs fois par jour, tout à fait naturellement : en émergeant du sommeil au moment de s'endormir, en entrant dans une rêverie ou en se « déconnectant », les yeux dans le vague. Dans ces moments-là, des sensations très diverses pouvaient survenir : une certaine légèreté ou, au contraire, une pesanteur de tout le corps ; l'impression d'être à la fois présent et ailleurs ; la sensation de se souvenir plus facilement du passé ; une meilleure conscience de la réalité ici et maintenant ; une déconnexion totale des perceptions extérieures ; une impression d'avoir déjà connu cet état ; un grand bien-être…

Oui mais voilà, pour que le cerveau soit volontairement dans ce fameux rythme alpha, il ne faut penser à rien, et penser qu'il ne faut pas penser, c'est encore penser ! « pensa » Marlène.

Trente minutes plus tard, une douce sonnerie la réveilla.

Elle avait la tête lourde et la joue collée sur le papier. En se relevant, elle sentit une courbature au niveau de la nuque qui descendait en cascade le long des épaules et des picotements froids dans les doigts de la main droite. Elle se massa lentement le cou et regarda avec tristesse les deux pages blanches de son cahier.

Pourquoi toujours rien ? se demanda-t-elle en ayant au fond de son cœur une profonde amertume.

40

William Raudive revêtit une soutane de bure noire, enfila une paire de mules en peau de chèvre et sortit de sa chambre située au rez-de-chaussée de l'aile droite du château. Le bruit de ses pas traînant résonna un bon moment dans la coursive intérieure qui rejoignait le grand hall d'entrée de la tour. Un vent froid et mugissant s'était levé, traversant comme une lame ce passage obscur parsemé de meurtrières.

Parvenu dans l'enceinte qui jouxtait la pièce d'accueil du bâtiment, il embrassa d'un regard concupiscent les quatre immenses peintures rupestres qui décoraient les murs et se rapprocha de celle qui représentait un papillon de nuit géant affublé de trois têtes de démon. Il caressa du bout des doigts ce diable tricéphale qui le fascinait et appuya sur un écusson de pierre sur lequel étaient peints deux poignards qui s'entrecroisaient. Sa manœuvre déclencha aussitôt le glissement d'un fronton qui dévoila une porte blindée pourvue de cinq gros boutons à barillet. Raudive aligna les chiffres qui composaient la formule secrète d'un mécanisme compliqué, et l'épais battant s'ouvrit dans un grincement sinistre sur une sorte de tunnel qui semblait s'enfoncer dans les ténèbres.

Le médium descendit les premières marches qui menaient au sous-sol. À mi-parcours, il actionna un interrupteur pour éclairer d'une lumière jaunâtre un dédale de pièces sombres et austères. Le portique d'entrée de ce labyrinthe était décoré par une fresque qui évoquait les ornements sacrés retrouvés sur les murs d'anciennes églises.

Au-dessous, était inscrit en lettres gothiques :

« Vous qui entrez ici, abandonnez toute espérance »

Raudive se dirigea vers une salle impressionnante d'aspect, avec ses larges voûtes soutenues par de gros piliers. Malgré ses vastes dimensions elle dégageait une impression de confort, grâce aux tapisseries médiévales tendues sur les murs et aux épaisses nattes de jonc couvrant le sol. Des candélabres garnis de bougies jetaient une chaude lumière sur un arc-boutant donnant sur une sorte de crypte dans laquelle s'engouffra le médium. Les ombres projetées par le vacillement des flammes accentuaient méchamment les sillons de son visage austère et lui donnèrent l'espace d'un court instant l'expression d'un vieux loup à l'affût. Il pénétra à l'intérieur du mausolée en se servant d'un digicode encastré dans le mur. La modernité de l'endroit contrastait avec l'ambiance médiévale de l'architecture. Des diodes colorées clignotaient sur une large console horizontale disposée en face d'un fauteuil en acier. Un micro recouvert d'une protection en mousse descendait du plafond par une tige verticale et un placage de liège protégeait les parois de l'étrange local. Raudive vérifia les compteurs d'un appareil placé sur un pupitre et s'assura que la bande passante d'une grosse bobine était bien positionnée sur son support. Il donna une légère impulsion sur la roue pour tendre le ruban noir entre des séries de gorges et de galets et émit un petit sourire de satisfaction en appelant son majordome par l'Interphone :

Parfait –, Stanislas, vous pouvez venir, nous allons commencer à enregistrer ! dit-il en se frottant les mains.

En attendant la venue de son domestique, Raudive s'installa sur le siège métallique, coiffa les écouteurs posés sur l'accoudoir et s'affaira à peaufiner les derniers réglages du son en manipulant une série de curseurs. Mais soudain, sa mine changea. Quelque chose sembla le contrarier et il fouina en baladant partout son museau de murène. Pour commencer son travail il lui manquait un document indispensable.

Il rappela Stanislas :

— Avant de descendre, passez par la bibliothèque. J'ai oublié le texte là-bas. Vous le trouverez sur la petite table en face de la cheminée.

41

Lorsque Maurice Burce appuya sur l'une des cinq touches beiges de l'imposant clavier du poste de radio à bobines datant des années 40 déniché chez un brocanteur toulousain, le mastodonte en bois vernis grésilla un bon moment avant de s'allumer comme un vieil animal réveillé par un visiteur inattendu. Un écran horizontal constellé d'écritures et de chiffres compliqués s'illumina et Maurice balada sur ce rectangle jaune l'aiguille rouge du curseur en actionnant le gros bouton qui permettait la recherche des stations. Au bout d'une bonne dizaine de minutes, il en repéra quelques-unes semblant provenir de l'est de l'Europe et sélectionna la moins audible de toutes. Ensuite, il monta légèrement le volume et plaça le petit micro sur pied du magnétophone qu'il venait d'acheter en regard du haut-parleur. Il avait fait l'acquisition de ce matériel en suivant scrupuleusement les conseils de Christophe Barbe et d'Yves Lines, les responsables de l'association d'aide aux personnes en deuil recommandée par Florence Hubert. L'appareil devait pouvoir permettre de faire varier la vitesse de déroulement de la bande pour que l'écoute soit possible à plusieurs niveaux.

Il démarra la prise de son et attendit quelques secondes avant d'écouter ce qu'il venait d'enregistrer. Tout était parfait. Il décida de remettre à plus tard la séance de TCI, car il savait qu'à cette heure de la journée il pouvait être dérangé à n'importe quel moment et n'avait pas du tout envie de voir gâcher cette première tentative.

Au moment de quitter la pièce, un courrier envoyé sur son fax attira son attention. Les feuilles étaient garnies de lignes serrées et Maurice reconnut immédiatement l'écriture fine et nerveuse de Marlène.

Cher Maurice, j'ai enfin réussi à obtenir un message en écriture automatique. J'ai mis un bon moment à traduire en mots ce que j'avais tracé sur cinquante-cinq pages de mon cahier car les lettres que j'ai formées sont très grosses. Je n'ai aucune souvenance d'avoir écrit quoi que ce soit. Simplement, je me suis réveillée de mon état de méditation en ayant la surprise de découvrir ce texte qui n'a pour moi aucune signification. Je l'ai recopié pour le soumettre à votre réflexion. Appelez-moi pour me dire ce que vous en pensez, je reste à la maison toute la journée. Voici donc ce texte :

Au mois de mars 1869, je m'attardais à compulser quelques revues spirites à paraître pour le mois suivant. Je vivais aux côtés d'Amélie, mon épouse, passage Sainte-Anne. Soudain, une douleur violente envahit ma poitrine. Alors je m'écroulai, inconscient. Je continuai à compulser les revues spirites comme si cet évènement n'était point arrivé, puis, je me sentis de plus en plus léger pour enfin voir mon enveloppe charnelle à terre, inanimée. Je revois encore, en évoquant cet instant suprême, mon ami Delanne, qui a le même prénom que votre fils ; il tentait de me réanimer par des passes magnétiques transversales. Devant le spectacle de mon corps inanimé, je pris peur et connus une certaine angoisse, celle du trouble évident, du trouble naturel que chacun et chacune peut connaître à l'instant de sa désincarnation, puis je réalisais progressivement que malgré les efforts d'Alexandre il ne me serait plus possible de réintégrer mon corps. Je distinguais alors fort bien un cordon brillant reliant le plexus de mon enveloppe charnelle à mon double fluidique. Je visualisais parfaitement, au niveau de cette énergie lumineuse, un trou, une coupure qui ne faisait aucun doute de mon nouvel état de désincarné. Alors je quittai la pièce en m'élevant doucement dans l'espace, puis je pénétrai un long et large tunnel, me dirigeant avec certitude vers celles et ceux qui m'attendaient, vers mes parents terrestres, vers mes amis spirites, vers tous ces amis qui, par la force de leurs pensées, avaient su émettre, à l'intérieur du tunnel qui conduit au monde des esprits, une musique de Bach qui a pour titre Jésus, que ma joie demeure. À l'issue de ce tunnel, dans l'azur qui m'était offert, je reconnus mes parents désincarnés et tous mes amis spirites décédés avant moi. Et puis un peu plus loin, vêtus de leur robe blanche, mes amis d'autrefois, les druides de l'invisible, anciens druides de Bretagne qui s'en venaient m'accueillir. Puis, au-dessus d'eux, Zéphir, mon guide, qui ne cessait de me répéter : « Mon frère, tu deviens libre et tu le vois, car tu le savais auparavant : tout continue. » Mon sentiment de l'instant, malgré cet extraordinaire accueil, était toujours dirigé vers la Terre, vers celles et ceux que je venais de quitter, sentiment d'humanité naturel. Tous les esprits comprirent ce sentiment et me demandèrent d'assister à mon propre enterrement, ce que je fis. Suivant le convoi funèbre auprès de mon épouse, j'observai toutes les présences humaines, tous mes amis réunis qui accompagnaient ma dépouille au cimetière Montmartre. Je revois encore les spirites et les médiums de l'Union. Un médium décida alors d'évoquer mon esprit, je répondis naturellement et immédiatement à son appel pour donner un premier message à l'assemblée réunie. Ce message était le message de l'unité, le message du progrès, le message aussi de mon éternel souci à conserver une Union spirite de France cohérente et efficace. La suite n'a malheureusement pas voulu répondre à cette cohérence, par cupidité mais aussi par manque d'engagement, par manque d'audace. Ainsi se déroule le passage de la vie terrestre à l'autre vie. Stéphane le sait et viendra vous le dire : votre fils Alexandre n'est pas encore ici.

Maurice Burce composa le numéro de Marlène sans attendre une seconde de plus.

— Marlène, c'est moi ! Je viens de lire votre fax.

— Alors ?

— C'est Allan Kardec qui a guidé votre main, il n'y a aucun doute à avoir là-dessus.

— Qui est ce monsieur ?

— Le fondateur du spiritisme. Il vous a communiqué le témoignage complet de sa mort ; sa PDE, en quelque sorte.

— Sa PDE ?

— Oui, sa Post Death Experience. C'est quelqu'un de très connu. Il a sa tombe au Père-Lachaise. Elle est en forme de dolmen avec son buste posé dessus. Depuis 1870, c'est la tombe la plus fleurie du cimetière. Les gens défilent tous les jours devant sa sépulture pour prier ou pour formuler des vœux.

— Ce n'est pas lui, puisque dans mon message l'entité prétend avoir sa dépouille au cimetière Montmartre !

— Allan Kardec a d'abord reposé au cimetière Montmartre et son épouse l'a ensuite fait transférer au Père-Lachaise. Peu de visiteurs savent que cette sépulture en forme de dolmen est l'évocation d'une mémoire celtique, celle d'une vie antérieure d'Hippolyte Rivail, son véritable état civil, à qui il fut révélé qu'il était druide au temps des Gaules et s'appelait alors Allan Kardec. Et c'est ce nom d'antériorité qu'il adopta pour signer ses œuvres et accomplir sa mission spirite.

— Mais pourquoi m'avoir transmis ce message à moi ?

— À vrai dire, je n'en sais trop rien. Peut-être pour vous prouver la réalité d'un contact avec l'au-delà, car comme vous le dites, vous ne savez rien de lui ; en revanche ce spirite est suffisamment célèbre pour permettre de l'identifier facilement.

— Oui, enfin moi, j'aurais préféré avoir un contact avec Alexandre plutôt qu'avec cette célébrité. Pourquoi m'a t-il fait écrire qu'Alex n'était pas encore « ici » : qu'est-ce que ça veut dire ?

— Bien malin qui peut comprendre, répondit Maurice.

Tout en parlant, Marlène avait fait un bien étrange dessin sur le bloc-notes à côté du téléphone. Elle arracha la page et tendit son œuvre à bout de bras pour essayer de donner une forme précise à son gribouillis. Au bout d'un certain temps, elle identifia le relief mystérieux et complexe de la bestiole angoissante couchée sur le papier : une sorte de gros papillon trapu avec trois têtes de démon. Au bas de la feuille, une flèche pointait deux poignards croisés.

42

Raudive grimaça un sourire de satisfaction en voyant le jeune homme accompagné du majordome pénétrer dans le mausolée. Le garçon était entièrement nu et marchait à petits pas. Ses pieds étaient entravés par de lourdes chaînes et ses poignets menottés portaient de larges ecchymoses. La lumière blafarde de la pièce éclairait des hématomes multiples répartis sur le thorax et l'abdomen tandis que des plaques de peau brûlée s'étalaient sur la partie postérieure des jambes et des bras. Les yeux boursouflés et les lèvres tuméfiées laissaient deviner la violence des coups qu'il avait dû endurer.

— Votre emplacement favori vous attend, Alexandre, fit Raudive en désignant d'un geste auguste le fauteuil métallique.

Le majordome fit asseoir sans ménagement le supplicié et lui retira ses bracelets de contention pour fixer solidement ses membres par quatre liens de cuir sur le siège de torture.

— Merci, Stanislas, vous pouvez nous laisser. Ah, j'oubliais : vous avez pensé à mon texte ?

— Oui, monsieur, dit le domestique d'un air lugubre en sortant deux feuilles de la poche intérieure de sa veste de service. Voilà, monsieur, un exemplaire pour lui et le double pour vous, comme d'habitude.

— Parfait, parfait… Tenez, mon jeune ami, voilà votre nouvelle partition, ironisa Raudive en plaçant le document sur le pupitre face à Alexandre.

— J'en ai assez… Je ne lirai plus rien… De toute façon je sais que je vais mourir… Alors autant en finir tout de suite…J'en ai assez… Tuez-moi maintenant, souffla Alex entre deux sanglots.

— Vous avez raison de dire que vous ne sortirez pas vivant d'ici. Vous avez aussi compris que votre disparition ne fera plus pleurer personne puisque vos parents vous pensent mort depuis longtemps. En revanche, vous pouvez choisir de souffrir ou de ne pas souffrir, dit Raudive en inclinant la tête à droite puis à gauche comme pour mieux faire comprendre cette alternative. Réfléchissez un peu, vous n'avez que des avantages à lire ce texte : on vous donnera à boire, vous n'aurez pas à subir d'autres électrocutions, et en plus vous ferez plaisir à vos parents qui penseront que vous leur faites un petit coucou depuis l'au-delà. Vous aimez bien vos parents, il me semble, non ? Vous ne voudriez pas les décevoir, n'est-ce pas ? Soyez intelligent ! conclut Raudive en actionnant un potentiomètre qui électrisa instantanément le fauteuil.

La manœuvre arracha à Alexandre un hurlement de douleur. Il se recroquevilla de son mieux comme pour limiter le contact brûlant et serra les dents en secouant sa tête trempée de sueur.

— D'accord… D'accord… Je vais lire… Je vais lire.

— Je savais que vous étiez quelqu'un d'intelligent, ricana Raudive en mettant son casque audiométrique. Alors, allons-y, c'est quand vous voulez. On fait une première prise et on recommence jusqu'à ce que ce soit parfait.

— Bonjour papa, bonjour maman, c'est moi, Alex, votre fils adoré…

— Non, stop, ça ne va pas du tout, du tout, c'est beaucoup trop triste comme voix ! coupa Raudive en envoyant une nouvelle décharge de courant.

Cette fois, Alexandre endura la secousse sans rien dire. Il connaissait l'inévitable sanction de son tortionnaire lorsqu'il n'obtenait pas ce qu'il désirait. Son cœur cognait de plus en plus fort dans sa poitrine et une soif terrible lui vrillait les boyaux.

— Faites attention, je déteste avoir à me servir de ça, votre peau est déjà dans un état lamentable. Allez, appliquez-vous : « bonjour papa, bonjour maman »… pas de tristesse dans le ton, au contraire, de l'allégresse, de la sérénité, une certaine bonne humeur, pas de la joie non plus. Imaginez que vous êtes au paradis et que vous passez un coup de fil à ceux que vous aimez pour leur dire que tout va bien et que vous êtes heureux. Vous êtes heureux, mais aussi un peu nostalgique de ne plus les voir. Donc ce n'est pas de la joie pure, vous comprenez ?

— Oui, je comprends…

— À la bonne heure ! Il faut que vos parents prennent du plaisir à vous entendre et qu'ils aient envie d'avoir beaucoup d'enregistrements de vous. N'oubliez pas que vous êtes mon seul fonds de commerce maintenant, dit Raudive en riant. Allez, appliquons-nous un peu, d'accord ?

— D'accord… D'accord… Je vais essayer.

— Non, vous n'allez pas essayer, vous allez réussir ! Si vous me faites correctement cette première phrase vous aurez droit à un verre d'eau fraîche, sinon…

William Raudive se tourna pour se rapprocher d'un bassin de pierre très orné dans lequel un petit jet d'eau tintinnabulait doucement. Il aspergea son visage, laissant dégouliner le fluide rafraîchissant dans son cou, et but une gorgée en fixant Alexandre d'un regard torve comme pour mieux le narguer.

— Bonjour papa, bonjour maman, c'est moi, Alex, votre fils adoré.

— Parfait, fit Raudive en se frottant les mains.

— À boire, s'il vous plaît.

— Plus tard, plus tard, finissons d'abord notre travail. Phrase suivante !

— Je suis heureux ici et je vous aime…

— Très bon, le ton. Allez on enchaîne, sans s'arrêter cette fois ! lança Raudive.

Alexandre pleurait en silence en regardant les yeux brûlant du feu de l'enfer de son bourreau et se demanda si ce n'était pas le diable qui se cachait derrière eux.

*

Au même moment, Maurice Burce écouta ce qu'il avait obtenu sur son magnétophone.

Il reconnut la voix. C'était bien celle de son fils. Par-delà la mort, Stéphane lui parlait d'une autre dimension. Dans ce message très émouvant, il rassurait son père, disait que la vie dans l'au-delà continuait d'une autre façon et qu'il travaillait pour atteindre des sphères supérieures. Il lui précisait aussi qu'il n'avait pas le droit de révéler tout ce qu'il savait ni d'influencer les autres sur leurs propres chemins de vie en dévoilant leur avenir, que les entités présentes dans le bas astral gênaient les communications spirites et qu'il devait s'en protéger en priant avant de faire chaque enregistrement.

Pour obtenir toutes ces informations, Maurice Burce avait dû faire défiler la bande-son à différentes vitesses et revenir plusieurs fois en arrière pour écouter et réécouter encore avec une obstination sans faille. À la fin, le travail avait fini par payer car son oreille s'était habituée à ces chuchotements qui se transformaient ensuite en paroles. Des paroles d'amour et de sagesse qui montraient que son fils était bien vivant sur l'autre rive.

Une chose pourtant l'intriguait : Stéphane lui avait dit qu'Alex ne faisait pas partie du royaume des morts et qu'il avait besoin d'aide. Maurice Burce ne comprenait pas la signification de cet avertissement. De quelle sorte d'aide pouvait bien avoir besoin le meilleur ami de son fils ? Quel était donc ce royaume des morts évoqué par Stéphane ? Fallait-il parler de ce dernier message angoissant aux Duquesne ? Autant de questions qui rongeaient le cerveau de Burce et l'empêchaient de penser à autre chose.

*

Assise dans le sofa de son salon, Marlène Duquesne feuilletait son cahier d'écriture automatique. À son grand désespoir, elle n'avait pas réussi à obtenir le moindre message d'Alexandre. Les cinquante premières pages concernaient le témoignage d'Allan Kardec, et les deux cents autres reprenaient sous différentes formes toujours le même dessin du papillon de nuit à trois têtes de démon avec les deux poignards croisés. Sur certaines feuilles, un nombre apparaissait de façon récurrente : 78 961.

Marlène avait demandé à Roland, fouillé dans sa mémoire et cherché sur le Net, mais elle ne trouvait aucune signification sérieuse à ces signes mystérieux que sa main avait tracés sur le papier.

43

Un taxi venait de pénétrer dans la cour de la propriété des Duquesne lorsque la sonnerie du téléphone retentit.

— Allô, bonjour monsieur Duquesne, William Raudive à l'appareil.

— Oui, bonjour.

— Je ne vous dérange pas, au moins ? demanda Raudive en manipulant machinalement un œuf en malachite posé sur son bureau.

— Ma femme et moi nous apprêtions à partir en ville pour faire des courses. Qu'est-ce que vous voulez ?

D'emblée, le médium perçut l'agressivité dans le ton de la voix et devina que les choses n'allaient pas tout à fait se dérouler comme il le souhaitait. Son intuition était fondée car, après les mises en garde de Florence Hubert sur les activités malhonnêtes de Raudive et les excellents résultats obtenus par Burce pour enregistrer son fils, Roland et Marlène avaient décidé d'un commun accord de mettre un terme final à leur relation avec ce médium plus intéressé par l'argent des parents éplorés que par leur profonde détresse. Et puis, sans vraiment pouvoir l'expliquer, entre eux et Raudive le courant n'était jamais passé. L'objectif des Duquesne était maintenant d'obtenir leurs propres enregistrements TCI d'Alexandre, comme avait réussi à le faire Maurice Burce avec Stéphane. Le matériel utilisé par Burce avait été soigneusement répertorié sur une liste d'achats que Roland

255

tenait en main au moment où le téléphone avait sonné. Autant dire que Raudive ne pouvait pas plus mal tomber pour faire sa nouvelle proposition.

— J'ai pu obtenir un nouvel enregistrement d'Alexandre cette semaine. Vous verrez, il est magnifique, vous ne serez pas déçus, dit-il sur un ton enjoué.

— Désolé, monsieur Raudive, mais vos enregistrements ne nous intéressent plus !

Le médium accusa le coup et resta un bon moment sans voix.

— Mais… mais voyons, c'est impossible… c'est votre fils… c'est lui qui vous parle depuis l'au-delà. Comment pouvez-vous dire que… que ça ne vous intéresse plus ? balbutia Raudive.

— Nous avons réfléchi à tout ça. Nous avons décidé de ne plus essayer d'entrer en contact avec Alex.

— Mais pourquoi ? s'énerva Raudive. Songez à tout ce travail qu'il faut pour avoir ces contacts, à toute l'énergie médiumnique qu'il faut savoir déployer. Vous n'avez pas le droit de refuser d'entendre parler votre fils ! Si vous êtes des bons parents, vous n'avez absolument pas le droit !

— N'insistez pas, monsieur, notre décision est prise, désolé.

— Attendez, cette fois-ci votre fils va vous étonner, il va vous…

Mais Roland avait déjà reposé le combiné du téléphone sur son socle.

William Raudive crispa ses mâchoires pour contenir sa colère. Son menton touchait sa poitrine et deux profondes rides verticales barraient son large front. Enfoncé au fond du fauteuil en cuir de son bureau, il ressemblait à une véritable bête sauvage prête à fondre sur sa proie.

Il sonna son majordome.

— Monsieur m'a appelé ?

— Oui, Stanislas. Les Duquesne ne veulent plus entendre leur fils. Il va falloir se débarrasser de lui rapidement. Préparez-moi la voiture, je vais me mettre en quête pour chercher un autre garçon.

*

Le taxi déposa Marlène au centre-ville. Les Duquesne s'étaient réparti les tâches. Roland devait rejoindre sur son lieu de travail Georges Rumault, un ami d'enfance devenu ingénieur spécialisé dans l'étude des fréquences sonores émises par les mammifères marins, tandis que son épouse était chargée de se procurer le matériel d'enregistrement adapté à la TCI.

Georges Rumault, comme tous les scientifiques dignes de ce nom, était quelqu'un de très ouvert qui reconnaissait humblement que tout phénomène inexplicable, même le plus farfelu et le plus incroyable, méritait recherches et investigations avant d'être traité par le mépris. Aussi, lorsque Roland lui avait parlé en toute confiance et sans aucune retenue de TCI pour savoir s'il avait des informations particulières sur le sujet, Georges lui avait spontanément et très gentiment proposé d'étudier les enregistrements dans son laboratoire.

— Vous ne descendez pas, monsieur ? s'inquiéta le chauffeur du taxi.

— Non, vous allez m'emmener au CNRS, dit Roland en faisant un petit signe de la main à sa femme qui marchait maintenant en direction de la Fnac.

Et tandis que la voiture redémarrait, il regarda la frêle silhouette de Marlène disparaître dans la foule en se disant que leur couple venait de subir la plus terrible des tempêtes et que s'ils avaient été capables de résister à cette catastrophe, désormais, rien ne pourrait plus les atteindre.

Il serra précieusement contre sa poitrine le petit paquet contenant les copies des enregistrements faits par Raudive et par Burce et remercia Dieu de lui avoir fait la grâce de lui avoir rendu Marlène.

44

En réalité, Mickey ne s'appelait pas Mickey mais Michel. Il n'empêche que tous ses copains l'appelaient Mickey parce qu'il était plutôt sympa et qu'il avait de grandes oreilles.

Mais aujourd'hui Mickey avait froid au cœur. Alors qu'il était assis sur la banquette en skaï du café L'Ange Bleu, un frisson parcourut son dos et lui fit relever le col en fourrure de son blouson de cuir. Sa copine venait de le quitter à l'instant et lui avait dit que c'était fini, qu'ils ne se reverraient plus jamais parce qu'elle partait vivre en Espagne avec Jimmy.

Jimmy, le patron de L'Ange bleu ! Qui aurait pu croire la chose possible ? Personne. Même pas Mickey. Surtout pas Mickey. Mickey et Carole avaient vécu leur jeunesse ensemble, ils s'étaient juré que rien ni personne ne parviendrait à détruire leur amour, ils avaient le même âge, les mêmes ambitions, les mêmes projets, et là, brusquement, sans crier gare, tout s'était écroulé en une poignée de secondes. Une phrase avait suffi à balayer le passé : « Je pars demain avec Jimmy ! » Comment avait-elle réussi à articuler ça, après tous ces moments partagés ? Jimmy était marié, avait trois enfants légèrement plus jeunes qu'elle et avait décidé, lui aussi, de tout balancer pour refaire sa vie. Le cerveau de Mickey était torturé par de multiples questions restées sans réponse. Comment Carole parviendrait-elle à reproduire les gestes qu'il connaissait avec ce type qui avait vingt-cinq ans de plus qu'elle ? Il imagina les lèvres de Carole sur la bouche adipeuse de Jimmy, le corps nu de Carole sous la bedaine du quinquagénaire, les petits seins gonflés de Carole mordus par cette ordure, et le reste. Tout le reste. Il ferma les yeux et les réouvrit aussitôt. Non, il n'avait pas rêvé : elle n'était plus là et en face de lui ne subsistait de son unique amour qu'une tasse de café fumant qu'elle n'avait même pas voulu terminer. Encore étourdi par le choc de cette terrible nouvelle, il avait écouté la suite sans pouvoir émettre un seul son. Ce : « Il a acheté une discothèque sur la Costa Brava, il divorce, il veut refaire sa vie avec moi » lui avait fait l'effet d'un uppercut au foie, et le : « On n'y peut rien, c'est comme ça, on s'aime » l'avait laissé K-O au sol.

— L'argent n'a pas d'odeur, mais les femmes ont du flair, pas vrai ?

— Pardon ? dit timidement Mickey à l'homme assis à la table voisine.

— J'ai entendu ce qui s'est passé avec votre amie. Elle vous a quitté parce qu'elle a trouvé son bonheur avec quelqu'un qui va pouvoir lui offrir ce que tout le monde cherche sur cette Terre.

— Ah oui, et c'est quoi à votre avis ? siffla Michel d'un air mauvais en fixant le fond de sa tasse comme pour lire l'avenir dans le marc de café.

— Vous me demandez à quoi peut ressembler l'idée du bonheur quand on est une fille de vingt ans, c'est bien ça, votre question ?

— Oui, c'est bien ça, ma question ! répondit-il en haussant les épaules.

— Eh bien, le bonheur à cet âge-là… et même parfois après, du reste, c'est être en sécurité, pouvoir réaliser tout ses petits caprices, voyager, porter des bijoux, recevoir des amis, choisir ses amants, faire des cadeaux, envoyer balader les emmerdeurs, rouler dans de belles voitures, avoir le pouvoir sur les autres, dominer les autres. Oui, c'est bien ça : dominer les autres ! Voilà ce qu'est la définition du bonheur pour la majorité des filles de cet âge. Et là-dessus, je pense que ce… Jimmy est bien mieux pourvu que vous pour assumer ces exigences.

— Vous voulez dire que le bonheur se résume à des valeurs matérielles ? À de l'argent ? C'est ça que vous voulez dire ?

— Je vois que vous comprenez vite !

— Non, c'est impossible, pas Carole. Carole n'est pas comme ça !

— Carole comme les autres. Toutes les femmes sont des salopes. Vous avez déjà vu des femmes de vingt ans avec des ouvriers de cinquante ans ?

— Vous êtes dégueulasse !

— Non, c'est la vie qui est dégueulasse, pas moi ! Vous êtes jeune, vous allez apprendre tout seul les lois de ce monde. En discutant avec vous, je viens de vous faire gagner quelques années d'avance. Ouvrez les yeux : nous sommes dans une jungle, et la seule solution pour ne pas se faire bouffer, c'est de pouvoir bouffer les autres !

— C'est dégueulasse !

— Ah, vous voyez, vous venez de progresser ! Vous reconnaissez que ce n'est pas moi qui suis dégueulasse, comme vous dites, c'est la vie qui l'est. Il suffit d'en connaître les règles du jeu. Après, on s'adapte. Tenez, vous m'êtes plutôt sympathique et, contrairement à ce que vous pouvez penser, aujourd'hui est votre jour de chance. Si vous décidez de vouloir gagner beaucoup d'argent sans trop vous fatiguer, téléphonez-moi, vous ne le regretterez pas !

L'homme se leva et lança sa carte de visite sur la table de Michel.

Le garçon la rangea dans la poche arrière de son blue-jean après avoir lu :

William Raudive
Directeur général d'Euro-Finance-Industrie
Société d'import-export

— À très bientôt, j'espère, dit Raudive en s'éloignant. Et n'oubliez pas : la vie est trop courte pour la rendre petite. Il faut savoir saisir sa chance lorsqu'elle se présente à votre porte. Et JE suis votre chance. Appelez-moi rapidement, une fois riche vous aurez toutes les femmes à vos pieds… même Carole !

*

Trois heures après cette rencontre, Mickey téléphona à Raudive et un rendez-vous fut pris.

Le jeune homme devait venir seul au château dès le lendemain matin sans avertir quiconque de son projet. La technique d'approche de William Raudive avait fait ses preuves car il avait utilisé ce procédé discret pour attirer Stéphane d'abord, Alexandre ensuite, dans les mailles de son filet, en se faisant passer successivement pour un guide de montagne chevronné puis pour un éditeur en quête de jeunes talents. Et si tout se déroulait comme il l'avait prévu, Mickey serait sa prochaine victime.

Raudive avait immédiatement repéré Michel lorsqu'il était rentré à L'Ange bleu. Le garçon était anormalement bronzé pour la saison, bien vêtu et propre de sa personne. Un ami avait interpellé le jeune homme pour lui demander si ses dernières vacances aux Antilles s'étaient bien déroulées et aussi pour lui faire remarquer, avec une certaine amertume dans le ton de sa voix, qu'il avait de la chance d'avoir des parents capables de l'emmener là-bas en plein hiver pendant que les autres « se les gelaient » en attendant le prochain été. Ensuite, Mickey s'était assis et avait commandé un demi en attendant Carole. Raudive avait pris place à la table voisine pour mieux observer sa proie, mais il avait déjà deviné que ce rejeton d'une vingtaine d'années avait des parents aimants aux revenus confortables et que ces derniers n'hésiteraient probablement pas trop longtemps avant d'acheter à prix d'or des enregistrements de leur fils disparu. Il avait trouvé Carole insignifiante, mais l'aurait embrassée sur les deux joues lorsqu'elle avait annoncé sa rupture avec son fiancé. Fragilisé par sa très récente peine de cœur, le jeune homme aurait tôt fait de mordre à l'hameçon. Il ne restait plus qu'à trouver l'appât à accrocher au bout de la ligne. Dans ces circonstances, il était facile de comprendre que Mickey devait aimer les voyages et qu'il désirerait probablement acquérir une certaine autonomie financière pour pouvoir reconquérir son amour… ou pour s'en trouver un autre.

En sortant sa carte de directeur général d'une société d'import-export, William Raudive avait tapé dans le mille.

45

Comme tous les jours à 17 heures, le majordome arriva dans le petit salon bleu du château pour apporter la rituelle collation à son maître. Il déposa sur le bureau un lourd plateau d'argent chargé de vaisselle en porcelaine, de petites viennoiseries et de chocolats fins. Trop occupé à écrire, Raudive ne leva même pas la tête.

— Peut-on savoir comment Monsieur envisage la disparition officielle du nouvel arrivant si celui-ci daigne arriver jusqu'à nous ? demanda Stanislas en versant du thé brûlant dans une grande tasse.

Raudive s'écarta de son labeur en dépliant son buste et plissa les yeux pour mieux focaliser son regard perçant vers celui qui avait eu l'audace d'interrompre la rédaction des textes destinés à être lus par Mickey. Le médium émit un profond soupir et lança :

— J'y ai déjà pensé, Stanislas, j'y ai déjà pensé…

— Mais encore, Monsieur ? insista le majordome qui était en réalité l'homme à tout faire de Raudive et qui, à ce titre, pouvait bien s'attendre à exécuter son prochain forfait.

— Ce jeune homme imprudent se sera tué en dégringolant dans un ravin. On retrouvera son corps calciné dans sa voiture, poursuivit le médium en croquant une barre de chocolat noir.

— Et j'imagine que le corps identifié comme étant celui de ce… Mickey sera en fait celui d'Alexandre, dit Stanislas d'un air gourmand.

— Bien imaginé, ponctua Raudive. Il sera méconnaissable… Aussi méconnaissable que celui de Stéphane, ajouta-t-il avec un rictus de fou qui dévoila une dentition écœurante tachée de débris noirs.

— Sauf que avec votre permission, Monsieur, je dois vous rappeler que nous n'avons pas eu à toucher au corps de ce garçon pour le rendre méconnaissable. Son identité a changé dès l'instant où vous lui avez écrasé la tête avec un tronc d'arbre. Une idée de génie que cette simulation d'accident de moto !

— Exact ! Par un simple coup de baguette magique, Stéphane est devenu Alexandre. La magie a pu opérer car la baguette était suffisamment grosse et a été placée au bon endroit, c'est-à-dire au beau milieu du visage, ricana Raudive.

— J'adore l'humour de Monsieur, siffla le majordome, et pour la première fois depuis bien longtemps un léger sourire éclaira ses joues creuses d'ectoplasme. Ah, j'oubliais : je vous ai découpé un article dans le journal de ce matin sur la disparition de Stéphane Burce.

— Ah bon ? Et alors, qu'est-ce qu'ils en disent ?

— En fait, rien de bien spécial, Monsieur. C'est un alpiniste qui donne une interview sur les dangers de la montagne et il cite le cas de Stéphane Burce, disparu au cours d'une excursion dans les Alpes, pour argumenter que la montagne peut être mortelle même en la présence d'un guide. Là aussi, Monsieur, vous avez été génial : accrocher le sac de montagne de Stéphane maculé de son propre sang sur un arbuste situé sur la pente d'un précipice, c'est un excellent moyen pour se débarrasser de quelqu'un.

— C'est vrai, mais je dois toutefois admettre que c'est vous qui m'avez donné l'idée de l'attirer au château en me faisant passer pour un guide de montagne. Un guide ! Quelle stupidité, moi qui ai la montagne en horreur !

— Stupide, peut-être, mais efficace. Le garçon vous a cru et a foncé tête baissée dans le piège sans se douter de rien. Alexandre aussi a marché lorsque vous vous êtes fait passer pour un éditeur.

— Un éditeur, c'est davantage crédible. J'ai plus l'air d'un intellectuel que d'un sportif ou d'un bûcheron, non ?

— Sauf votre respect, Monsieur, on peut facilement vous imaginer dans la peau d'un guide expérimenté.

— Oui, enfin, quoi qu'il en soit, une chose est certaine : demain nous recevons ce garçon et tout devra être prêt pour l'accueillir, dit Raudive pour couper court.

— De mon côté, il n'y a pas d'inquiétude à avoir, Monsieur, tout sera prêt.

— Parfait, mon petit Stanislas ! Une fois Mickey neutralisé, il faudra veiller à faire disparaître le corps calciné d'Alexandre au sommet du col Prat d'Abiès. J'ai pu repérer là-bas plusieurs endroits où vous n'aurez aucune difficulté à faire glisser la voiture de ce... Mickey.

— Bien, Monsieur. J'envisage de faire la crémation d'Alexandre dans sa cellule, je pense que c'est le meilleur endroit.

— Je vous laisse seul juge de ce point de détail, mon petit Stanislas. Vous pouvez disposer, maintenant, car j'ai un texte à travailler, dit Raudive en soulevant une pile de feuilles vierges.

46

Roland Duquesne écoutait avec la plus grande attention Jean-Claude Carton qui interviewait le père François Brune sur les caractéristiques des voies reçues en TCI. Depuis quelques semaines, le médecin ne manquait aucun de ces rendez-vous du vendredi soir. À partir de 23 heures et jusqu'à une heure avancée de la nuit, l'émission *Plus près des étoiles* diffusait des informations capitales et novatrices sur les phénomènes dits paranormaux, et cette fois-ci le sujet lui semblait être de la plus haute importance. L'animateur tonique dirigeait d'une main de fer les débats en direct avec les auditeurs qui harcelaient le père Brune de multiples questions.

(Une auditrice) — *J'ai perdu mon père il y a à peine trois mois, mais vous savez, moi, je ne crois pas à tout ça, cette façon de communiquer avec les morts me dépasse complètement ; je pense que les gens qui sont en deuil et qui sont dans la souffrance...*
(Jean-Claude Carton) — Nicole !
(L'auditrice) — *... cherchent un réconfort dans ce genre de...*
(J-CC) — *Nicole, Nicole, s'il vous plaît !*
(L'auditrice) — *Oui ?*
(J-CC) — *J'ai en ligne de nombreuses personnes qui désirent poser des questions pertinentes sur le sujet de ce soir et notamment pas mal d'appels du Canada, alors je vous en prie, Nicole, n'encombrez pas les*

ondes avec des états d'âme qui n'intéressent que vous, je suis désolé de vous le dire. Avez-vous une question précise à poser au père Brune ?

(L'auditrice) — *Euh… oui…*

(J-CC) — *Alors allez-y, Nicole, posez votre question, tout le monde vous écoute.*

(L'auditrice) — *Oui, merci. J'aimerais savoir quelle est la meilleure fréquence à utiliser comme support de voix sur une radio, et aussi s'il existe des preuves que les voix enregistrées en TCI correspondent bien à celles des disparus.*

(J-CC) — *Eh bien voilà, Nicole, vous voyez que vous pouvez arriver à poser de bonnes questions ! François Brune, vous pouvez répondre à Nicole ?*

(Père Brune) — *Bien sûr. Il semblerait que les petites ondes soient les meilleurs supports radio actuellement utilisés. Il faut rechercher les émissions allemandes ou de l'Europe de l'Est. En ce qui concerne la preuve de l'authenticité des voix, un petit laboratoire italien à Bologne étudie ça de très près et a trouvé des similitudes supérieures à 85 % entre les voix enregistrées en TCI et celles des trépassés qui furent enregistrées de leur vivant. Cette étude montre donc de façon quasi certaine qu'il s'agit bien des mêmes voix.*

La sonnerie du téléphone interrompit la concentration de Roland et, tout en décrochant, il se demanda qui pouvait bien l'appeler à une heure aussi tardive.

— Allô Roland ?

— Oui, qui est à l'appareil ?

— C'est moi, Georges Rumault, je t'appelle du labo. Je viens de terminer l'examen des bandes que tu m'as confiées.

— Alors ?

— Alors c'est très étonnant, ton truc. La voix de Stéphane ne correspond pas à une voix humaine puisque sa fréquence vibratoire est émise à 6 500 hertz et qu'il est totalement impossible de produire un pareil son avec des cordes vocales. La voix d'Alexandre, en revanche, correspond bien à une voix d'un garçon de son âge, avec des fréquences dix fois moins importantes que celles de la voix de Stéphane. Je ne sais pas si ces résultats pourront t'aider, mais c'est tout ce que j'ai pu tirer de cet examen. Il y a aussi un autre mystère : deux messages incompréhensibles d'Alexandre ; j'ai essayé à plusieurs vitesses de défilement, mais je n'ai rien trouvé de significatif. Que veulent dire « vacalsandsuis » et « iomerviléd » ? Mystère… ça te dit quelque chose, à toi ?

— Non, rien.

— Bon, enfin, je t'envoie le compte rendu de tout ça dès demain. J'ai voulu t'avertir maintenant parce que j'ai jugé que ces résultats pourraient être importants pour toi, je ne sais pas si j'ai bien fait.

— Tu as très bien fait, merci, vieux, dit Roland avant de raccrocher.

Le docteur Duquesne éteignit le poste de radio, alla se servir un whisky et s'enfonça dans son canapé en faisant danser le liquide ambré dans son verre. Ses pensées se bousculaient dans sa tête.

Il se remémora la soirée où Henry Vignaud lui avait annoncé : « Il s'agit d'un jeune homme sportif, il me montre un sac de sport. Il me montre sa tête, il a eu la tête écrasée. Ce n'était pas un accident, qu'il me dit. »

Stéphane, la tête écrasée… pas un accident.

Il revit ce corps au crâne défoncé à la morgue de Foix.

Et si ce n'était pas Alex que j'ai reconnu là-bas ? En fait, je n'ai rien reconnu du tout.

La phrase de Marlène obtenue en écriture automatique sous l'influence d'Allan Kardec explosa dans sa tête : « Stéphane le sait et viendra vous le dire : votre fils Alexandre n'est pas ici. »

Et si Alex était vivant ?

Il repensa aussi au message que Burce avait reçu de son fils en TCI. Celui-ci ne faisait que confirmer cette hypothèse : « Alex ne fait pas partie du royaume des morts », et aussi la NDE de Marlène, lorsque Stéphane lui avait dit : « Alex a besoin de toi, tu dois revenir sur Terre », puis : « Alex n'est pas ici. Concentre-toi sur les Écritures et je viendrai te guider ».

Tout à coup, Roland visionna comme dans un film l'instant de la disparition de la silhouette de Stéphane dans les toilettes de la brasserie où il avait eu rendez-vous avec Florence Hubert. Des images et des sons terribles submergèrent son cerveau : le visage d'Henry Vignaud, celui de la médium, le doigt menaçant de Raudive, son château, le majordome, Maurice Burce qui disait : « Alex ne fait pas partie du royaume des morts, non, il n'en fait pas partie… »

Vivant. Il est peut-être vivant quelque part, mais où ? Pourquoi ? La voix de Stéphane ne correspond pas à une voix humaine tandis que celle d'Alex, oui. Bon sang, s'il est vivant où peut-il bien être ? Vacalsandsuis… En Suisse ?

Une phrase de son fils remonta soudain dans son esprit : « Le verlan c'est dépassé. On inverse plus les syllabes, on inverse les lettres ! »

Le srevnel ! Oui, ça y est, c'est ça ! Le message… du srevnel, les lettres à l'envers. Ce message était pour moi. Pour moi seul. Alex est retenu prisonnier quelque part et il m'a communiqué une info à l'insu de ses geôliers comme on jette une bouteille à la mer.

VACALSANDSUIS donne SUIS DANS LA CAVE et IOMERVILÉD donne DÉLIVRE-MOI !

Alex est dans la cave de Raudive !

47

Lorsque Mickey gara sa voiture devant le château, il ne se doutait pas qu'un terrible piège était sur le point de se refermer sur lui. Il marcha le long de l'imposante façade recouverte de lierre en se disant que le type qui lui avait filé ce rancart devait être plein aux as et qu'il avait donc de bonnes raisons de lui faire confiance pour pouvoir être un jour lui aussi gavé de thunes.

Le majordome qui le fit entrer confirma le sentiment de sécurité qu'il avait éprouvé en appuyant sur le bouton argenté de la sonnette d'entrée et l'accueil protocolaire dont il bénéficia lui provoqua un petit frisson de bonheur : c'était bien la première fois de sa vie que quelqu'un le traitait avec autant de déférence. Mickey, subjugué par la froideur et l'austérité des lieux, suivit le domestique sans oser dire un mot. Ils montèrent deux étages en empruntant l'escalier en colimaçon de la tour principale et pénétrèrent dans une grande pièce ornée de tentures de velours grenat. Une odeur bizarre flottait un peu partout. Bizarre, mais pas désagréable du tout, au contraire ; en réfléchissant un peu, Mickey crut reconnaître des senteurs d'épices et des effluves d'encens ; le tout donnait à l'endroit quelque chose de solennel, une sorte de mélange de sacré et de mystérieux. Un fastueux lustre de cristal renvoyait les éclats bleutés du pâle soleil matinal sur un couple d'angelots dorés posé sur une commode Louis Philippe. Stanislas l'invita à s'asseoir sur l'un des trois divans encerclant une petite table basse où l'attendait un grand verre de jus de fruits embué de fraîcheur.

— Notre cocktail de bienvenue ; papaye, goyave, banane : la boisson favorite de mon patron. J'espère que ça vous plaira, ça se boit glacé, dit Stanislas en désignant le breuvage.

Mickey ne se fit pas prier et avala d'un trait la mixture sucrée.

Il sentit le liquide froid couler dans sa gorge et descendre dans son estomac, et cette perception lui procura un plaisir anormalement intense.

Cinq secondes plus tard, sa tête se mit à tourner. Sa vision se brouilla. Il aperçut un instant le visage du majordome qui l'observait et c'était comme s'il était sous l'eau en train de se noyer, en train d'étouffer et qu'il cherchait en vain à faire surface tandis qu'une main de géant appuyait sur ses épaules. Stanislas, impassible, contemplait son malaise et avait l'air de trouver tout ça normal. Mickey comprit tout de suite qu'il venait d'être drogué. Il déboutonna sa chemise et essaya d'atteindre la fenêtre pour l'ouvrir et aspirer de l'air, prendre un peu d'oxygène. Il fallait aller jusque-là : faire cinq, six mètres et c'était gagné, mais des crampes atroces le paralysaient en lui tordant le ventre, le moindre geste lui demandait des efforts démesurés.

Une sueur neigeuse parcourut son dos.

En rassemblant toute sa volonté, il parvint à se lever. Il s'appuya sur l'accoudoir du divan pour mettre un pied devant l'autre et tendit un bras désespéré vers le large rai de lumière filtrée par le vitrage dépoli de l'unique ouverture de cette pièce qui ressemblait maintenant à un tombeau.

Mickey fit un pas de plus et s'écroula inerte au milieu du salon.

48

Maurice Burce coupa le contact après s'être engagé dans un étroit chemin de terre situé à environ quatre cents mètres en contrebas de la propriété de William Raudive.

— Je ne me suis jamais servi d'une arme à feu, dit Roland en mettant dans la poche intérieure de son blouson l'arme automatique que Maurice venait d'extraire de la boîte à gants.

— C'est pas compliqué, il faut diriger le canon vers sa cible et appuyer sur la détente, c'est aussi simple que ça ! fit Maurice en armant un 355 Magnum.

— Bon, j'y vais. Si je ne suis pas de retour dans trente minutes, vous venez.

— Vous êtes sûr de vouloir y aller seul ?

— Ai-je vraiment le choix ? Vous avez vu la réaction des flics tout à l'heure. Ils n'ont pas cru une seule seconde ce que nous leur avons raconté et, quoi qu'ils disent, je suis certain qu'ils ne feront même pas une enquête sur lui. Ils nous ont pris pour des illuminés influencés par des médiums, c'est tout. En mettant Marlène hors du coup, nous ne sommes que deux à penser qu'Alex est retenu dans ce château, et comme il ne faut pas mettre les œufs dans le même panier, il vaut mieux que vous restiez là à surveiller mon retour, on ne sait jamais…

— Vous ne préférez pas inverser les rôles : j'y vais et vous attendez ici ? Je connais mieux les armes que vous !

Roland ouvrit la portière et dit :

— Il s'agit de mon fils. MON fils, vous comprenez ? Si ça se passe mal et qu'il est vraiment là-dedans, j'aimerais autant pouvoir me regarder dans une glace !

— Soyez prudent ! Vous avez pensé à éteindre votre portable ?

— Euh, non... pourquoi ?

Burce inclina la tête pour lui faire comprendre que la réponse était évidente.

— Ah oui, pardon, c'est vrai, suis-je bête ! dit Roland en appuyant longuement sur une touche de son combiné.

— Décidément, je me demande si je ne dois pas venir avec vous, susurra Maurice d'un air désespéré.

— Non, on a déjà discuté de ça, je ferai attention, n'ayez pas peur. Donnez-moi trente minutes.

Roland referma la portière et partit vers le château sans se retourner.

*

Quand Mickey ouvrit les yeux, il pensait être encore dans un rêve, mais ce rêve ressemblait plutôt à un terrible cauchemar. Il était nu, solidement ligoté sur un fauteuil métallique. Devant lui, Raudive l'observait avec un regard de psychopathe pervers. Les yeux qui le fixaient exprimaient une cruauté sans limites. La douleur qu'il ressentit en essayant de bouger lui prouva qu'il était en train de vivre un moment bien réel. Un frisson de terreur envahit tout son être et il ne trouva pas la force d'émettre la moindre protestation. Il ouvrit la bouche pour crier, mais aucun son ne sortit. Comble d'ironie, un micro était à la hauteur de son visage.

— Vous vous demandez sans doute ce que signifie toute cette mise en scène ? dit Raudive en souriant.

Mickey ne répondit pas.

— Comme vous pouvez vous en douter, je ne suis pas directeur d'une société d'import-export.

Raudive attendit quelques secondes une réaction du garçon, mais celui-ci resta impassible, tétanisé par une peur insurmontable.

— En fait, je n'ai menti que sur ce point, parce que le reste de la conversation que nous avons eue ensemble était, en ce qui me concerne, tout à fait sincère. Vous vous souvenez de ce que je vous ai dit ?... Non ?... Vous ne voulez pas répondre, tant pis ! Je vous avais dit que la vie était dégueulasse, et c'est vrai qu'elle est dégueulasse, vous ne savez pas à quel point elle peut l'être parfois. Figurez-vous qu'il y a quelques années de ça, on a profité de mon absence momentanée, de mon indisponibilité, pour s'attaquer à ma famille. Pendant que j'étais en prison, des tristes sires ont battu à mort ma fille de six ans sous les yeux de ma femme, et après, vous savez ce qu'ils ont fait, les tristes sires ? ... Non ?... Vous ne voulez pas parler parce que vous avez déjà deviné ce qu'ils ont fait, ces tristes sires, évidemment, vous êtes comme eux, vous aussi, vous auriez fait la même chose dans ces circonstances, bien sûr. Les tristes sires étaient trois jeunes petits enculés de votre espèce, trois jeunes garçons de vingt ans qui ont violé ma femme avant de lui défoncer le crâne à coups de barre de fer. C'est amusant comme jeu, non, vous ne trouvez pas ?

Mickey sanglota en silence car il venait de comprendre que Raudive était fou et qu'il allait bientôt le tuer.

— Rassurez-vous, je ne vais pas vous tuer tout de suite, dit Raudive qui sembla deviner sa pensée. J'ai besoin de vous. Je vous tuerai, oui, bien sûr, mais plus tard, parce que avant je dois faire un cadeau à vos parents. Après, dès qu'ils en auront assez de vous entendre, je vous ferai disparaître comme les deux autres. Trois petits enculés ont détruit ma famille, trois petits enculés seront tués par mes soins, c'est la loi du talion. Vous vous souvenez de ce que je vous ai dit ? La seule solution pour ne pas se faire bouffer, c'est de bouffer les autres ! Le premier a eu la cervelle éclatée par un tronc d'arbre, le deuxième va bientôt être grillé comme une saucisse et vous... vous, je ne sais pas encore, il faut que je réfléchisse. Mais assez bavardé, nous allons travailler. Je vous ai écrit un petit texte que vous allez lire. Oh, je sais bien, vous allez faire comme les autres, il va falloir que j'insiste, vous n'allez pas vouloir coopérer tout de suite, il va falloir vous mettre au courant de mes méthodes d'apprentissage.

Tout en prononçant sa dernière phrase, Raudive envoya une décharge électrique dans le fauteuil métallique et Mickey se recroquevilla en hurlant de douleur.

*

Roland arriva devant la porte d'entrée du château. Sans grand espoir, il tourna la poignée. Tout était verrouillé.

Comment rentrer dans cette forteresse sans prévenir Raudive ?

Le médecin longea le mur de l'aile droite du bâtiment et remarqua qu'une des trois meurtrières de la coursive qui devait mener au hall d'entrée avait été élargie afin de laisser le passage à une sorte de lunette astronomique. En un éclair, Roland évalua le trajet pour rejoindre cette ouverture située à environ dix mètres du sol : le tronc principal du lierre géant permettait de rejoindre une solide gouttière qui montait sur la droite d'une gargouille facilement accessible ; ensuite, une saignée du mur rendait possible une progression lente et prudente vers cet hypothétique passage. Roland se frotta les mains pour se donner du courage et débuta son escalade.

*

Alexandre fut réveillé d'une façon inhabituelle. À travers les grilles de sa cellule, Stanislas venait de lui jeter dessus une bassine d'un liquide glacé qui contracta ses muscles et rétrécit tous les pores de sa peau. L'odeur était forte. Il connaissait cette odeur. C'était une odeur d'essence, et son corps nu ruissela de ce fluide nauséabond qui s'écoulait doucement sur la terre battue de sa prison.

*

Roland arriva enfin devant l'objectif de verre qui ressemblait à un gros œil de poisson. Il donna un vigoureux coup de pied sur l'énorme lentille pour dégager le passage en priant le ciel pour que sa chute n'alerte personne. Le bruit ne fut pas très discret, mais il lui sembla à juste raison ne pas avoir d'autres choix pour pouvoir s'introduire clandestinement dans le château. Il se faufila péniblement à travers les épaisses parois de l'orifice de pierre et rejoignit d'un bond le couloir qui menait au hall d'entrée. À pas de loup, il pénétra dans la grande pièce et en profita pour ouvrir le verrou intérieur qui bloquait la porte d'entrée principale.

*

— Mais qu'est-ce qui vous prend de m'arroser comme ça, hein, qu'est-ce qui vous prend ? hurla Alexandre en s'essuyant le visage.

— Le poulet grillé doit bien être arrosé avant la cuisson, monsieur Alexandre. Bien arrosé, oui, bien arrosé, répéta Stanislas en vidant le reste du jerrican dans la grande bassine posée à ses pieds.

*

Après son refus de coopérer, Mickey avait fini par craquer. Les décharges électriques imposées par Raudive étaient devenues trop insupportables. Il n'avait plus maintenant qu'un seul désir : ne plus être brûlé par ces terribles courants qui lui déchiraient les chairs.

— Alors, allons-y, reprenons la dernière phrase : « Bonjour papa, bonjour maman, je vous aime toujours plus. » Essayez de mettre davantage de conviction cette fois, dit Raudive en soupirant d'un air désolé.

— Oui... oui, je vais le faire, dit le supplicié en tremblant de douleur.

*

Roland était maintenant dans l'enceinte qui jouxtait la pièce d'accueil. Quatre immenses peintures rupestres décoraient les murs et le médecin fut frappé par l'une d'entre elles. Il reconnut tout de suite ce papillon de nuit géant avec ses trois têtes de démon : c'était le même dessiné plusieurs fois par Marlène en écriture automatique. Les deux poignards entrecroisés étaient là eux aussi. Ils apparaissaient en bas relief sur un écusson de pierre. Roland appuya instinctivement sur ce symbole guerrier comme pour se prouver que ce qu'il voyait était bien réel et, aussitôt, tout le pan de mur glissa pour faire apparaître une solide porte blindée. Cinq gros boutons à barillet laissaient supposer que son ouverture exigeait la connaissance d'un code secret.

Cinq chiffres.

*

Stanislas alluma une torche et demanda à Alexandre s'il avait encore quelque chose à dire avant de mourir.

— Oui, je vous plains, dit Alex résigné.

Et cette dernière phrase déclencha chez le majordome une fureur supplémentaire.

*

Cinq chiffres, bon sang, les cinq chiffres de Marlène, je suis sûr que c'est ça !

Roland essaya le 7... le 8... le 9... le 6... puis le 1, et le bruit produit par l'enclenchement d'un mécanisme complexe lui fit comprendre qu'il avait eu raison de faire confiance aux informations que sa femme avait reçues. Il dévala sans attendre les escaliers du tunnel qui s'enfonçait dans une sorte de cave et se dirigea vers une lueur qui semblait provenir d'une flamme. Stanislas allait jeter sur Alexandre sa torche incandescente lorsque Roland lui cria en pointant son arme vers lui :

— Lâchez ça tout de suite ou je vous colle une balle dans la peau !

Le majordome exécuta son ordre mais le flambeau tomba dans la bassine restée à ses pieds. Le bas du pantalon du bourreau s'enflamma aussitôt, puis en un très court instant son corps ressembla à celui d'un diable sorti tout droit de l'enfer. Il se calcina sur place en émettant des petits bruits aussi misérables que ridicules.

— Tiens, tiens, devinez qui est là ? Mon Dieu, comme c'est touchant, le père venant délivrer son fils ! Dommage, docteur Duquesne, vous étiez presque arrivé à vos fins, dit Raudive en armant son fusil.

— Pauvre type, murmura Roland.

— Je vais tirer deux fois : une balle pour le fils et une balle pour le père. Allez, je vais être beau joueur, je vais vous faire choisir. Qui veut commencer ?… Personne ?… Bon, tant pis, c'est moi qui choisis.

Raudive ajusta son tir et deux coups de feux claquèrent dans les ténèbres de cette sordide prison.

49

Roland et Alex furent d'abord surpris d'être encore en vie après avoir entendu les deux coups de feu. Dans la seconde qui suivit le claquement des balles, le visage de Raudive avait pâli et un mince filet de sang s'était écoulé au bord de ses lèvres.

Le docteur Duquesne regarda son fils. Une pensée fulgurante l'envahit : Sommes-nous encore de ce monde ou appartenons-nous déjà au royaume des morts ?

La réponse ne tarda pas à éclater devant lui comme le bouquet final d'un feu d'artifice.

Le médium s'agenouilla et tout son buste s'affaissa lentement dans un bruit sourd sur le sol humide. Derrière lui, Maurice Burce, rendu muet par le geste meurtrier qu'il venait d'accomplir avec le sang-froid d'un tireur d'élite, contemplait la scène, son 355 Magnum à la main. Une fine fumée s'échappait du canon.

Au loin, une espèce de cri retentit.

Mickey signalait sa présence, il venait d'entendre les sirènes des quatre voitures de police stationnées dans la cour du château.

ÉPILOGUE

Deux ans plus tard

— Mesdames et messieurs, bonjour. Nous espérons que vous avez passé une excellente nuit. Il est 6 heures du matin, heure locale. Nous atteindrons notre destination dans deux heures et trente minutes. La température à Montréal est de moins 15 degrés et nous devons nous attendre à rencontrer quelques turbulences avant notre arrivée. Un petit déjeuner continental va vous être servi. Nous vous souhaitons un bon appétit et une bonne fin de vol.

Lorsque l'éclairage de la carlingue s'alluma, Roland, trop absorbé par son travail, ne leva même pas le nez du montage Power Point qu'il avait réalisé sur son PC la semaine précédente. Il peaufinait la conférence qu'il devait faire dans l'après-midi et venait de s'apercevoir en se chronométrant que son intervention dépassait largement les quarante-cinq minutes prévues.

Cela faisait plusieurs mois que le docteur Duquesne s'intéressait aux états modifiés de la conscience et, après avoir remarqué que certaines possibilités télépathiques étaient possibles chez les comateux de son service de réanimation, il avait lancé une étude prospective auprès de ses confrères anesthésistes pour connaître l'ampleur du phénomène. En fait, les résultats de son enquête furent à la hauteur de ses espérances et de son intuition puisque près de 11 % des comateux avaient eu des expériences télépathiques avec les soignants qui s'occupaient d'eux. Cette constatation ouvrait de nouvelles perspectives de recherche, et Roland avait été invité au Canada avec son épouse et son fils par le président de IANDS Québec pour présenter ses travaux lors d'un colloque international sur les NDE.

— Tu n'as presque pas dormi, remarqua Marlène en se réveillant à ses côtés.

Elle se pelotonna contre lui en s'accrochant à son bras et posa sa tête sur son épaule.

— J'ai un peu froid, dit-elle en frissonnant. Alex est réveillé ?

Roland se retourna et fit un clin d'œil à son fils.

— Oui, il écrit.

— Encore son nouveau roman ?

— Je suppose, dit Roland en souriant.

— Tu sais, avant qu'on parte, Maurice m'a téléphoné.

— Ah bon ? Et qu'est-ce qu'il t'a raconté ? demanda Roland en fermant son ordinateur portable.

— Il m'a dit qu'il avait eu un dernier contact en TCI avec son fils. Il arrête !

— Il arrête la TCI ?

— Oui…

— Mais pourquoi ? Lui qui était si passionné par tout ça… C'est étonnant, non ? Qu'est-ce qui s'est passé ?

— C'est son fils qui lui a demandé.

— Son fils ?

— Oui, il lui a dit qu'il progressait, qu'il rejoignait des sphères supérieures et que, du niveau d'évolution où il serait bientôt, il ne pourrait plus communiquer avec lui. C'est sans doute parce que par-delà la mort il a fait une action magnifique en sauvant notre fils. Tu ne penses pas que c'est ça, la raison ?

— Peut-être… dit Roland songeur.

Alexandre vint vers eux pour les embrasser et dit avec un sourire triomphant :

— Je suis content, je viens de terminer mon livre !

— Ah oui, et tu lui as trouvé un titre ? demanda Roland.

— Oui : *La mort décodée.*

— Et c'est quoi, un roman de science-fiction ?

— Non, en fait c'est notre histoire. Et elle se termine aujourd'hui.

— Oui, dans ton livre peut-être, mais j'espère bien que nous allons vivre encore longtemps ! plaisanta Roland.

Marlène tourna la tête et regarda par le hublot défiler les nuages en se demandant dans quelle dimension de l'univers pouvait bien se trouver la nouvelle sphère où évoluait maintenant Stéphane. Elle ignorait que dans moins d'une heure Alexandre allait rencontrer l'amour de sa vie et qu'elle deviendrait bientôt la grand-mère d'une petite Esclarmonde.

Esclarmonde : la dernière incarnation terrestre que venait de choisir Stéphane avant d'atteindre son ultime niveau d'évolution.

Le Boeing 777 s'enfonça en glissant dans le brouillard canadien.

Achevé d'imprimer en septembre 2011
sur les presses de la Nouvelle Imprimerie Laballery
58500 Clamecy
Dépôt légal : septembre 2011
Numéro d'impression : 108208

Imprimé en France

La Nouvelle Imprimerie Laballery est titulaire de la marque Imprim'Vert®